ROMA ANTIGUA

MONUMENTOS EN EL PASADO Y EN EL PRESENTE

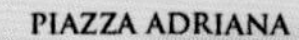

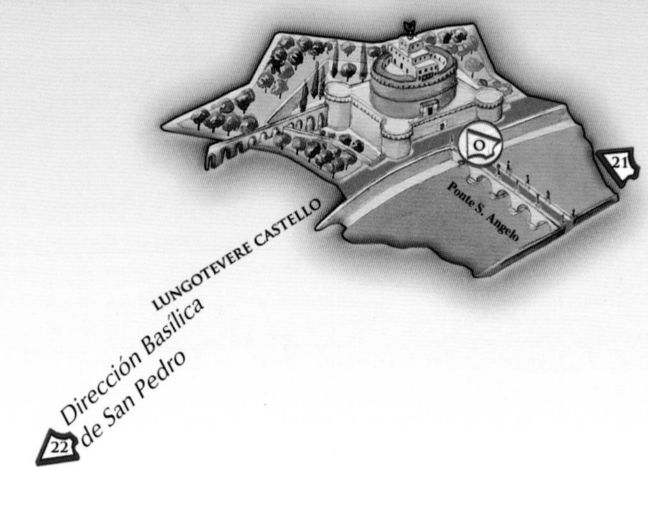

Reconstrucciónes

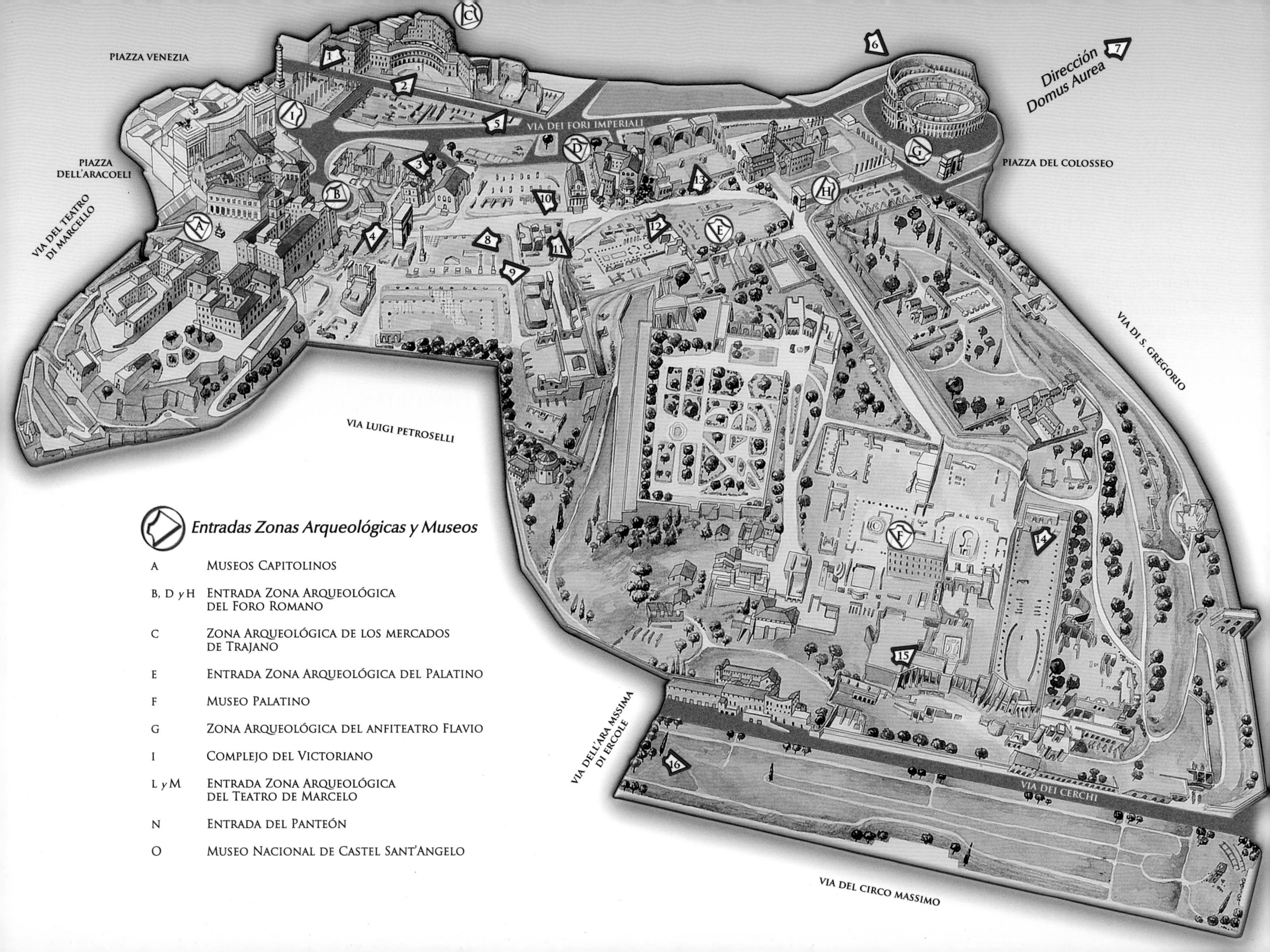

PIAZZA VENEZIA
PIAZZA DELL'ARACOELI
VIA DEL TEATRO DI MARCELLO
VIA DEI FORI IMPERIALI
Dirección Domus Aurea
PIAZZA DEL COLOSSEO
VIA DI S. GREGORIO
VIA LUIGI PETROSELLI
VIA DELL'ARA MSSIMA DI ERCOLE
VIA DEI CERCHI
VIA DEL CIRCO MASSIMO
Entradas Zonas Arqueológicas y Museos
A Museos Capitolinos
B, D y H Entrada Zona Arqueológica del Foro Romano
C Zona Arqueológica de los mercados de Trajano
E Entrada Zona Arqueológica del Palatino
F Museo Palatino
G Zona Arqueológica del anfiteatro Flavio
I Complejo del Victoriano
L y M Entrada Zona Arqueológica del Teatro de Marcelo
N Entrada del Panteón
O Museo Nacional de Castel Sant'Angelo

Texto por Romolo Augusto Staccioli
Diseño y reconstrucciones: Vision S.r.l.
Proyecto gráfico y layout: Federico Schneider
Fotografía de Vision s.r.l., Spazio Visivo, F. Schneider, Olycom, Corbis

1 Edición 1990
Nueva Edición 2006

VISION S.r.l. - Vía Livorno, 20 - 00162 Roma - Tel/Fax (+39) 0644292688
E-mail: info@ visionpubl.com

ISBN 88-8162-161-4

Impreso en Italia por Tipolitografica CS - Padua

Los pisos de dos o tres cabañas excavados en la roca en lo alto del Palatino y unas humildes tumbas de hoyo y de pozo en los márgenes del Foro Romano son los "monumentos" más antiguos, visibles aún hoy en día, de lo que después fue la Urbe, es decir, la ciudad por excelencia. Los primeros evocadores testigos de un desarrollo urbanístico y monumental que, a lo largo más de mil años desde la antigüedad, ha dejado hasta nuestros días perdurables vestigios de una grandeza y potencia sin igual.
Los orígenes de Roma, entre fines de la edad del bronce y principios de la edad del hierro, yacen en las pequeñas aldeas que surgieron sobre las colinas agrestes situadas en terrenos en gran parte pantanosos, hacia las inseguras riberas de un gran río que tenía una isla que facilitaba cruzarlo. Quizás fuera precisamente la aldea del Palatino, que controlaba la isla y el vado más directamente y que descollaba sobre el antiquísimo mercado edificado en la ribera izquierda allí cerca, la que constituyó el núcleo alrededor del cual se concentraron los demás poblados, entre el VIII y el VII siglo a.C., creando un conjunto del cual habría nacido más tarde la ciudad propiamente dicha. Indudablemente, esto ya se hace realidad en el siglo VI. Rodeada de murallas y protegida por un castillo que se erguía sobre el Capitolio, dotada de un muelle fluvial en el Tíber y un centro comercial y político en el Foro, embellecida con edificios públicos y santuarios (el templo de Júpiter Capitolino es el primero por su importancia), la ciudad se extendía desde el Palatino hasta el Esquilino, desde el Celio hasta el Viminale y el Quirinale.
En el siglo sucesivo, también el Aventino entró a formar parte de la ciudad y en la primera mitad del siglo IV, después de la improvisa devastación causada por las correrías de los Galos, una nueva muralla cercó el organismo urbano que se extendía por una superficie de más de 400 hectáreas. La ciudad siguió enriqueciéndose desde entonces, perfeccionando progresivamente sus instalaciones, fomentando una actividad de construcción cada vez mayor. Los últimos dos siglos de la República fueron determinantes para el orden de la ciudad. Entre el II y el I siglo a.C. se crearon, por cierto, "barrios" nuevos basándose en los grandes modelos y esquemas de las mayores ciudades del Oriente griego, o se restauraron completamente los caseríos ya existentes, también según funciones específicas.
Se adoptaron tipos arquitectónicos griegos, como los pórticos públicos y se inventaron nuevos estilos, como las basílicas forenses. Se comenzó la aplicación racional y sistemática del arco y de la bóveda lo que, junto con la utilización de la obra de cemento, permitió realizar edificios más grandes y de mayor funcionalidad.

Vista de la ladera norte de la colina del Palatino: edificios y talleres de época neroniana y las arcadas de la Domus Tiberiana.

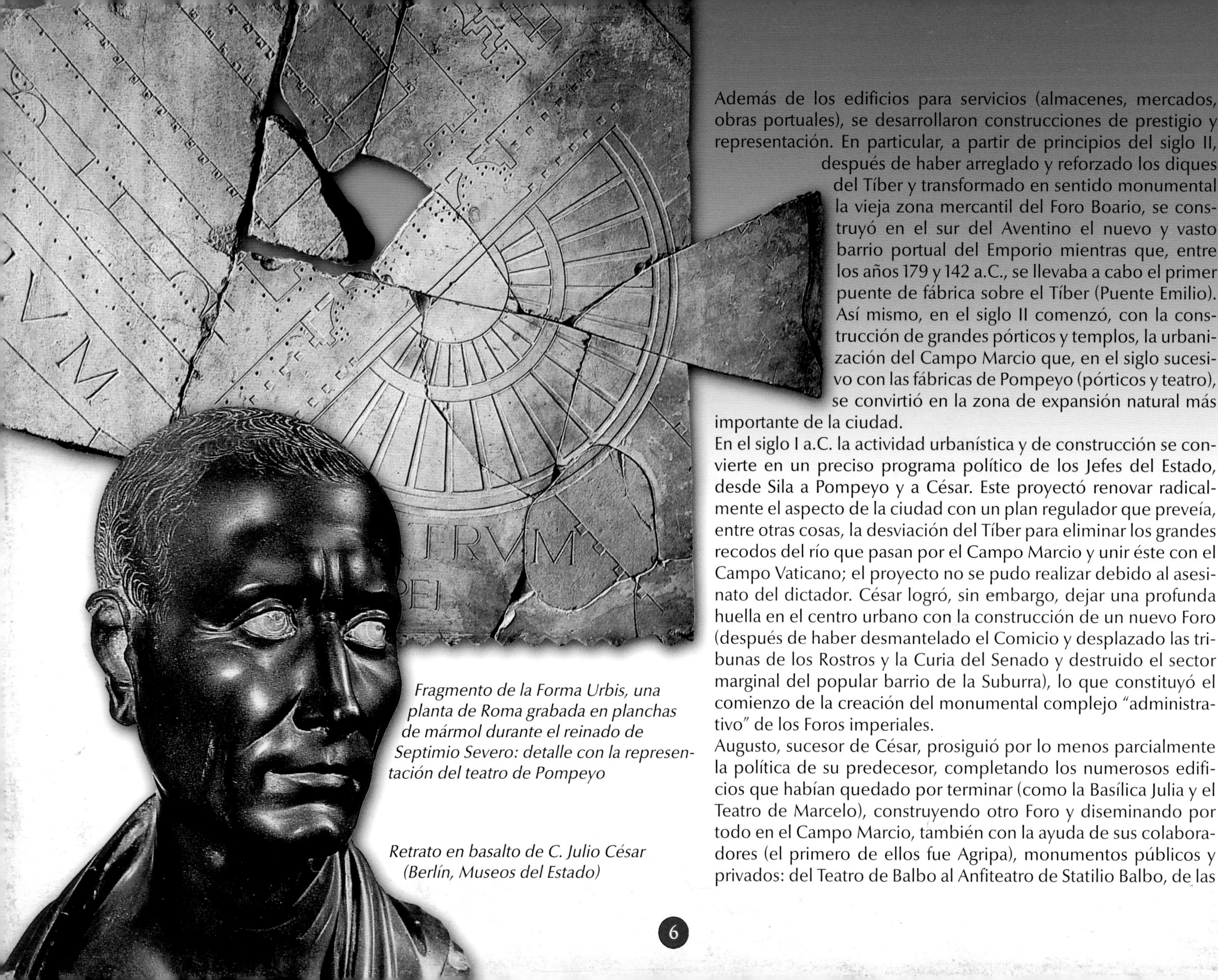

Fragmento de la Forma Urbis, una planta de Roma grabada en planchas de mármol durante el reinado de Septimio Severo: detalle con la representación del teatro de Pompeyo

Retrato en basalto de C. Julio César (Berlín, Museos del Estado)

Además de los edificios para servicios (almacenes, mercados, obras portuales), se desarrollaron construcciones de prestigio y representación. En particular, a partir de principios del siglo II, después de haber arreglado y reforzado los diques del Tíber y transformado en sentido monumental la vieja zona mercantil del Foro Boario, se construyó en el sur del Aventino el nuevo y vasto barrio portual del Emporio mientras que, entre los años 179 y 142 a.C., se llevaba a cabo el primer puente de fábrica sobre el Tíber (Puente Emilio). Así mismo, en el siglo II comenzó, con la construcción de grandes pórticos y templos, la urbanización del Campo Marcio que, en el siglo sucesivo con las fábricas de Pompeyo (pórticos y teatro), se convirtió en la zona de expansión natural más importante de la ciudad.

En el siglo I a.C. la actividad urbanística y de construcción se convierte en un preciso programa político de los Jefes del Estado, desde Sila a Pompeyo y a César. Este proyectó renovar radicalmente el aspecto de la ciudad con un plan regulador que preveía, entre otras cosas, la desviación del Tíber para eliminar los grandes recodos del río que pasan por el Campo Marcio y unir éste con el Campo Vaticano; el proyecto no se pudo realizar debido al asesinato del dictador. César logró, sin embargo, dejar una profunda huella en el centro urbano con la construcción de un nuevo Foro (después de haber desmantelado el Comicio y desplazado las tribunas de los Rostros y la Curia del Senado y destruido el sector marginal del popular barrio de la Suburra), lo que constituyó el comienzo de la creación del monumental complejo "administrativo" de los Foros imperiales.

Augusto, sucesor de César, prosiguió por lo menos parcialmente la política de su predecesor, completando los numerosos edificios que habían quedado por terminar (como la Basílica Julia y el Teatro de Marcelo), construyendo otro Foro y diseminando por todo en el Campo Marcio, también con la ayuda de sus colaboradores (el primero de ellos fue Agripa), monumentos públicos y privados: del Teatro de Balbo al Anfiteatro de Statilio Balbo, de las

Termas de Agripa al primer Panteón, del Altar de la Paz al Reloj Solar, hasta el grandioso Mausoleo de la familia imperial. El mismo Augusto, habiendo decidido vivir en el Palatino, determinó la sucesiva transformación de la colina en una única grandiosa residencia imperial a partir del momento en el que su sucesor Tiberio mandó a construir el primer Palacio.

Los miembros de la dinastía julio-claudia se limitaron, con parciales iniciativas, a continuar las directivas de Augusto, hasta el reino de Nerón, cuando el terrible incendio del año 64 d.C. arrasó o trastornó gravemente diez de las catorce "regiones" en las que Augusto había subdividido a la ciudad. Después de la catástrofe, mientras que el mismo Nerón se dedicaba a la realización de la "Domus Aurea" que transformaba gran parte del centro urbano en una villa grandiosa, se empezó una obra de reconstrucción más orgánica. Se logró cumplirla después de otros dos graves incendios en los años 69 y 80, solo hacia fines de siglo, con la intensa actividad de Domiciano y después que Vespasiano y Tito, entre los años 75 y 80, edificaron el edificio que se habría convertido en el símbolo de Roma: el Anfiteatro Flavio o Coliseo.

El siglo II d.C. marca el momento de la máxima expansión urbanística y edilicia de Roma. A Trajano, Adriano, Antonino Pio y Marco Aurelio se deben por cierto, entre otras cosas, el último y más grandioso de los Foros imperiales, un nuevo establecimiento termal, otros templos (entre ellos el de Venus y Roma y, sobre todo, el nuevo Panteón, obra maestra de la arquitectura de todos los tiempos), otro Mausoleo más allá del Tíber y las dos espectaculares columnas historiadas en forma coclear. Mientras tanto, en la edilicia privada cobraban cada vez mayor importancia los caseríos de varios pisos (*insulae*) que formaban verdaderos "barrios" orgánicamente concebidos como aquel comprendido entre la vía Lata y el Quirinale.

Pared decorada del estudio del emperador Augusto en la casa del Palatino (20-10 a.C.)

El Ara Pacis, dedicada al emperador Augusto por el senado romano, en el Campo de Marte (13-9 a.C.)

En el siglo III, iniciado con otras notables obras grandiosas y en particular con la realización de las imponentes Termas de Caracala durante la dinastía de Severo, se observa una disminución general de las actividades.

Cuando luego, bajo la creciente amenaza de los bárbaros en las fronteras del imperio, Aureliano ordena la construcción, en el año 275 d.C., de un nuevo cerco de murallas urbanas, éste constituye la conclusión definitiva de cualquier posible futuro desarrollo de la ciudad.

A pesar de ello Roma, dentro del cerco de las murallas aurelianas, de 18 km de largo, era la ciudad más grande, opulenta y monumental de todas las que se hubiesen visto jamás sobre la faz de la tierra.

La actividad edilicia no cesó del todo; al contrario, con las Termas de Diocleciano y la Basílica de Majencio, inaugurada por Constantino en el año 312, se añadieron otros dos excepcionales capítulos a la historia entonces ya más que milenaria de la arquitectura romana. Poco después, en el año 315, el Arco erigido por el Senado en honor de Constantino y realizado con la reutilización de los antiguos monumentos, constituirá el símbolo de una época ya cercana a la decadencia. Cuando el mismo Constantino dedica todos sus esfuerzos a crear una nueva capital a las orillas del Bósforo y quando esta se inaugura como la "Nueva Roma" el 11 de mayo del año 330, la historia urbanística y edilicia de la Urbe puede considerarse concluida para la fase que llamamos antigua.

Estatua ecuestre del emperador Marco Aurelio (Roma, Museos Capitolinos)

Vista panorámica de la zona de los Foros

EL COLISEO

En el centro del valle situado entre las colinas Palatino, Esquilino y Celio, donde se encontraba el lago artificial de la *Domus Aurea* de Nerón, henos ante el **Coliseo** o, mejor dicho, el anfiteatro Flavio, el monumento más significativo de Roma antigua: su gigantesco tamaño justifica plenamente el nombre con que se le conoce universalmente desde que el pueblo así lo denominara a partir de la Alta Edad Media.

De sus gigantescas dimensiones cabe precisar: casi 50 metros de altura del anillo exterior, 188 metros de largo del eje mayor de la elipsis y 156 metros de largo del eje menor; más de 100.000 metros cúbicos de travertino y 300 toneladas de hierro para las grapas que conectaban los bloques entre sí.

Comenzado por Vespasiano después del año 70 d.C., el anfiteatro fue inaugurado por Tito en el año 80, con una serie de ceremonias y espectáculos de 100 días de duración, durante los cuales se mataron 5.000 fieras. Edificado con el trabajo contemporáneo de cuatro sitios de obras, el edificio está constituido por tres órdenes sobrepuestos de 80 arcadas entre pilastras con semicolumnas adosadas y un alto ático dividido en compartimientos por medio de pilares, decorados antiguamente con escudos de bronce, o abiertos mediante ventanas rectangulares.

Las arcadas de la planta baja se hallaban numeradas progresivamente (los números correspondían a los que aparecían en las "contraseñas" de los espectadores) y brindaban acceso a un doble ambulacro de donde se pasaba directamente, o a través de corredores internos, hacia las escalinatas que conducían, mediante 160 bocas (*vomitoria*), hacia las graderías de la cávea sostenidas por arcos y bóvedas en declive.

Junto al anfiteatro surgía el **Coloso de Nerón**, una estatua gigantesca de bronce dorado, de más de 35 metros de altura, obra del escultor griego Zenodoro, que representaba al emperador y a la que, después del fallecimiento de éste, le fue sustituida la cabeza con la del dios Sol.

El interior del Coliseo se hallaba constituido por el ruedo, cuyo piso consistía de un tablado de madera lleno de arena que se extendía por una superficie de 76 metros por 46 metros y de la cávea subdividida en tres sectores sobrepuestos de graderías, rematados en lo alto por un "pórtico" que comprendía un cuarto orden de gradas de madera para los espectadores de pie.

Cada sector de las graderías se hallaba estrictamente reservado, por orden de importancia, a una particular categoría de ciudadanos quienes, de todas formas, gozaban todos del derecho de entrada gratis.

Globalmente, el anfiteatro tenía una capacidad, incluyendo los puestos para espectadores parados, de alrededor de 70.000 personas que asistían a las luchas de gladiadores y a las cazas de fieras, así como a espectáculos menores, de contorno o durante los intervalos, de vario tipo, mas en general igualmente cruentos.

La sombra para los espectadores la aseguraba un enorme toldo sostenido por cabos atados a una corona de 240 traviesas que sobresalían por la cornisa externa superior del anfiteatro y que maniobraba un destacamento especial de marineros de la flota militar de Miseno, del golfo de Nápoles.

Durante los espectáculos se colocaba alrededor del ruedo una alta y robusta red metálica sostenida por palos, con colmillos de elefante por encima que actuaban como espontones o pinchos y provista, en su parte superior, de rodillos de marfil que impedían que las fieras se treparan por la red e intentasen salvar la valla. Para mayor seguridad, numerosos arqueros se hallaban apostados dentro de los nichos que se abrían en el podio bajo las graderías.

El último espectáculo del cual se tiene noticia se remonta al año 523 bajo el rey de los Godos Teodorico, mas limitado a las cazas, habiendo sido abolidos los combates de gladiadores inmediatamente después del año 438, unos cuarenta años antes de la caída del imperio: aquel fue casi seguramente el último espectáculo en sentido absoluto después de casi 450 años de uso ininterrumpido. Bajo la arena del Coliseo se extendía un complejo sistema de subterráneos construidos, quizás bajo Domiciano, cuando en el anfiteatro ya no se armaban las "representaciones" de batallas navales. Aquellos subterráneos estaban destinados a los servicios y equipos escénicos para los espectáculos para los cuales (sobre todo para las cazas) se

SUBTERRÁNEOS DEL COLISEO

1 Arena
2 Balteo
3 Pasaje de las fieras de la paserel a la rampa
4 Cávea y sectores de graderías
5 Lucernaio
6 Ascensores por las fieras
7 Nivel de los subterráneos

Yelmo de gladiador procedente de Pompeya (Nápoles, Museo Nacional)

Exterior del Coliseo, reconstrucción

Relieve con escenas de combates entre gladiadores (Chieti, monumento funerario de C. Lusius Storax)

Busto del emperador Cómodo (180-192 d.C.) representado como Hércules (Roma, Palacio de los Conservadores)

acostumbraba preparar rebuscadas y magníficas escenografías que comprendían hasta colinas, bosquecillos y pequeños lagos.

Se habían adoptado particulares cuidados e ingeniosas soluciones para crear ambientes y sutiles mecanismos de portillos y montacargas que introducían, en el momento oportuno, repentina y simultáneamente, los escenarios, equipos, hombres y animales al nivel del ruedo.

Para los escenarios y equipos escénicos se utilizaban grandes planos inclinados y maquinaria que giraba sobre cremalleras y se desplazaba mediante contrapesos. Para los hombres y animales se hacían funcionar, también con contrapesos, verdaderos ascensores.

En particular los animales, empujados por los "bestiarios" en los corredores, se hacían entrar en jaulas alojadas en habitaciones especiales junto a las cuales se hallaba el mecanismo, controlado por uno o varios maniobristas, que levantaba cada jaula a un nivel superior; luego la jaula se abría y los animales salían por una pasarela conectada a una rampa que conducía a un escotillón situado a nivel del ruedo. Cuando se levantaba la trampa el animal salía listo para el espectáculo.

Cabe precisar que una vez con este sistema se soltaron en el ruedo cien leones al mismo tiempo que con sus feroces rugidos simultáneos hicieron enmudecer de miedo a la multitud vociferante. Por lo que se refiere a los gladiadores, ellos podían acceder directamente al ruedo desde su "cuartel" principal, situado junto al Coliseo, mediante un pasaje subterráneo.

Este conducía al gran túnel que atravesaba longitudinalmente todos los subterráneos, cruzando otro túnel por el centro, paralelo al eje menor de la elipsis y que también se extendía en ambas direcciones fuera del anfiteatro.

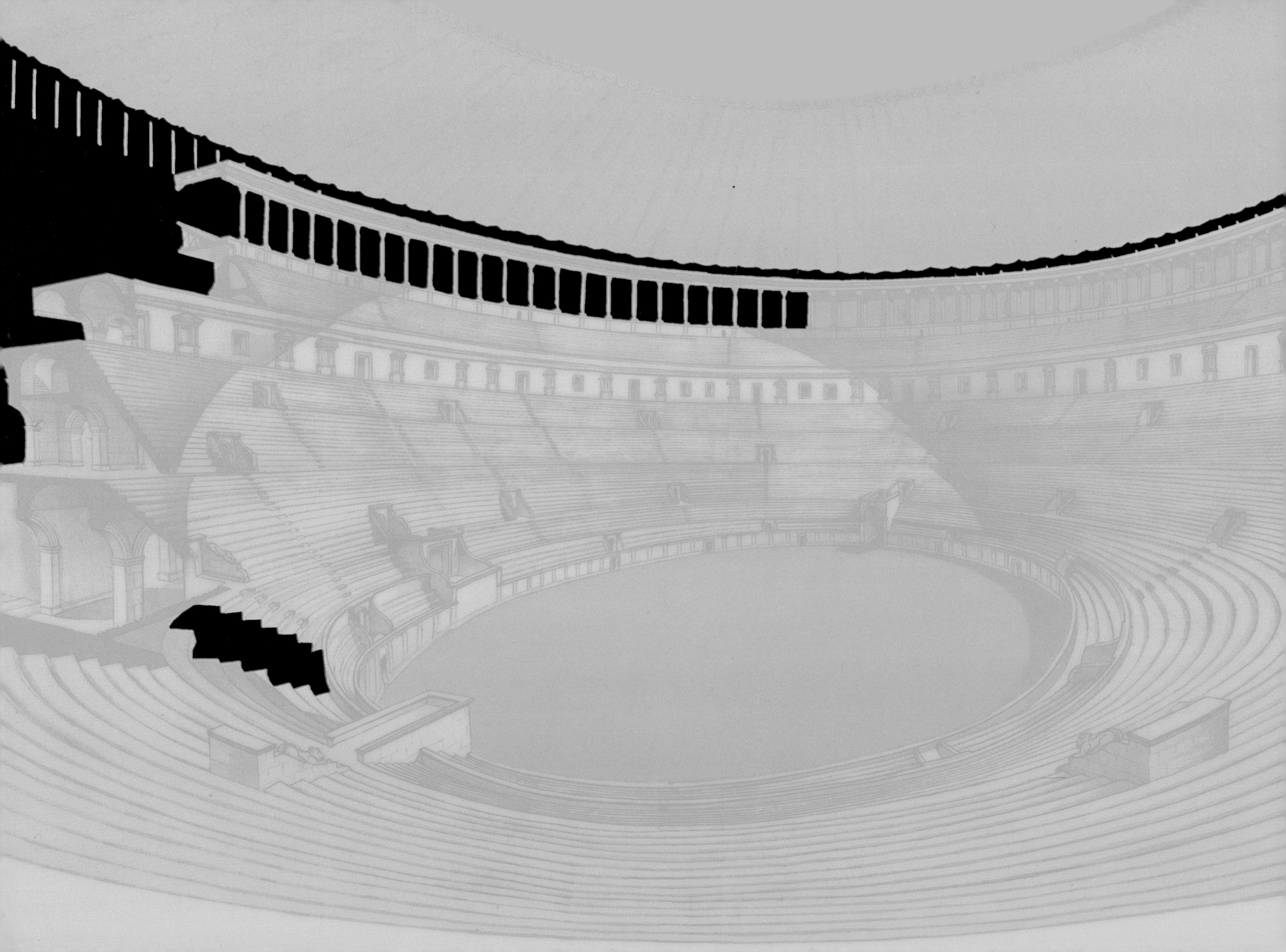

LA PLAZA DEL COLISEO

Dominada por la gigantesca mole del anfiteatro, la plaza del Coliseo asumió su monumental aspecto definitivo, conservado sustancialmente hasta nuestros días, con la edificación del **Templo de Venus y Roma**. Anhelado y quizás proyectado por el mismo emperador Adriano y dedicado a la Diosa "fundadora" de Roma y a la misma ciudad, "señora del mundo", el templo se inauguró en el año 135 d.C. y fue reconstruido por Majencio, después de un incendio, hacia el año 310. Con dos absidiolas adosadas una junto a la otra, éste surgía en el centro de una vasta terraza, flanqueada por pórticos en ambos lados, en la colina de la Velia que en aquella época se extendía más allá de la actual Vía dei Fori Imperiali, desde el Palatino hasta el Esquilino.

Para la construcción del templo se destruyó todo lo que quedaba del "vestíbulo" de la Domus Aurea y se desplazó, con la ayuda de doce pares de elefantes, el **Coloso de Nerón** colocado en el mismo.

Al comienzo de la "vía Sacra", que partía de plaza del Coliseo bajando hacia el Foro, en la segunda mitad del siglo I d.C., había una fuente que, por su forma parecida a la de las *metae* (metas) alrededor de las cuales giraban los carros en los circos, fue denominada **Meta Sudans**.

El **Arco de Constantino** fue el último monumento que se construyó para embellecer la gran plaza. Decretado en el año 312 d.C. por el Senado y el Pueblo Romano (según reza la inscripción) en honor del emperador que había librado a Roma del "tirano" Majencio, derrotado en la batalla de Ponte Milvio; característica particular del Arco es que fue profusamente decorado con relieves y estatuas provenientes de monumentos de épocas prece-

Reconstrucción de la Plaza del Coliseo: en el centro, la Meta Sudans; a la derecha el Coloso de Nerón y al fondo, el templo de Venus y Roma

Cabeza colosal del emperador Constantino (Roma, Museos Capitolinos)

Arco de Constantino, friso con batalla de Trajano contra los Dacios

dentes y que se referían a los emperadores Trajano, Adriano y Marco Aurelio. Solo los pequeños paneles horizontales sobre las cimbras menores y ambos lados del monumento fueron ejecutados expresamente para ilustrar episodios de las "empresas" de Constantino.

El Arco de Constantino

LOS FOROS IMPERIALES

La necesidad de ampliar y adecuar al multiplicarse de las necesidades el viejo centro político y administrativo de la ciudad y del Estado y brindarle un aspecto más imponente y más noble, dio origen, a fines de la edad republicana, a la creación de esos maravillosos conjuntos urbanístico-arquitectónicos que fueron los **Foros Imperiales**.

César fue el primero que, en el año 54 a.C. concibió ampliar la antigua "plaza" del Foro Romano mandando a construir una nueva, adyacente, a los pies de la Roca Capitolina.

Nació así un nuevo Foro designado más adelante con el nombre del dictador (*Forum Iulium*). De forma perfecta de rectángulo alargado (según el estilo de las plazas públicas de las grandes ciudades helénicas), se hallaba flanqueado de pórticos en tres lados y dotado de un templo en el centro del lado del fondo. El Foro de Augusto también se proyectó basándose en este mismo modelo unos cincuenta años después; éste cubría una superficie de más o menos iguales dimensiones y estaba situado al este del Foro de César, junto al popular "barrio de la Suburra" (que había sido derrumbado en gran parte para construir ambos foros) del cual fue separado mediante una alta muralla de piedra como protección contra los incendios que a menudo se producían en ese caserío.

La única novedad del Foro de Augusto fue la de tener, en correspondencia de los pórticos situados en los lados más largos junto al templo, dos grandes exedras con las paredes decoradas con semicolumnas y nichos con estatuas.

Con los dos nuevos Foros, el centro administrativo y monumental de Roma fue suficientemente ampliado y cuando el emperador Vespasiano, después de triunfar en la guerra contra los judíos entre los años 71 y 75 d.C., dispuso la construcción a poca distancia del Foro de Augusto de un templo dedicado a la Paz, en el que depositó los restos del templo de Jerusalén, este templo se podía considerar en realidad como una continuación del conjunto de los Foros. El templo de la Paz, por cierto, precedido por un gran espacio libre, de forma rectangular, con jardines y rodeado de pórticos por tres lados, no difería demasiado de una plaza forense. Cuando, más adelante, Domiciano utilizó el escaso espacio libre entre el Foro de Augusto y el Templo de la Paz para construir un nuevo Foro (llamado "de Nerva", inaugurado en el año 97, o "Transitorio" por su función de trámite) se formó un conjunto único y orgánico sin solución de continuidad y de comunicación directa. Otro Foro más fue añadido, entre los años 107 y 112 d.C. por el emperador Trajano, quien encargó su construcción al célebre arquitecto

La Basílica Ulpia y la Columna de Trajano

Apollodoro de Damasco. Para su realización, debido al insuficiente espacio disponible, fue explanada la pequeña colina (que unía el Capitolio y el Quirinale) y se derribaron edificios y monumentos de cierta importancia. De tal manera el centro administrativo y la ciudad vieja se enlazaron directamente con la ciudad "nueva" que se había desarrollado en el Campo Marcio.

El Foro de Trajano fue el último, pero también el más suntuoso y espectacular de todos los Foros imperiales.

Medía 300 metros de largo y 185 metros de ancho.

Comprendía también la basílica que por el nombre del emperador fue llamada "Ulpia", las bibliotecas y la magnífica columna honoraria.

Una inscripción colocada sobre la base de la columna nos informa todavía hoy que su altura, de casi 40 metros corresponde a la altura de la colina que en ese punto había sido desmantelada.

EL FORO DE CÉSAR

Cuando César decidió que se construyera su nuevo Foro, tuvo que resolver serios problemas. Además de la adquisición y demolición de numerosas casas privadas que surgían en la zona escogida, hubo que realizar grandes obras de excavación, cortes de las laderas extremas del Capitolio y hasta fue necesario desplazar la Curia del Senado y sus edificios anexos. El dictador cubrió los ingentes gastos de estas obras (solo el terreno adquirido costó cien millones de sestercios) con el producto del botín proveniente de la conquista de Galia.

EL FORO ROMANO Y LOS FOROS IMPERIALES

1 Columna de Trajano
2 Basílica Ulpia
3 Foro de Trajano
4 Templo de Marte Ultor
5 Foro de Augusto
6 Templo de Minerva
7 Templo de la Paz
8 Foro de Nerva
9 Basílica Emilia
10 Foro de César
11 Templo de Venus Genitrix
12 Curia
13 Arco de Septimio Severo
14 Templo de la Concordia
15 *Tabularium*
16 Templo de Vespasiano y Tito
17 Templo de Saturno
18 Foro Romano
19 Basílica Julia
20 Templo de los Dióscuros
21 Templo del Divo César
22 Templo de Antonino y Faustina
23 Templo de Vesta
24 Casa de las Vestales
25 Templo del Divo Rómulo
26 Basílica de Majencio
27 Templo de Venus y Roma

El Foro de César con el templo de Venus Genitrix

Se dedicó particular atención a la construcción del monumento más importante del Foro: el templo dedicado a **Venus Genitrix** prometido a la Diosa por el mismo César con un voto, en vísperas de la batalla de Fársalo contra su rival Pompeyo. Venus se consideraba la divina progenitora de la estirpe de César y madre de Eneas quien, huyendo de Troya y habiendo llegado a las playas del Lacio, después de haber derrotado al rey Turno, se habría casado con Lavinia, hija del rey Latino, con la que tuvo un hijo, Yulo, antecesor de los Julios.
El templo se inauguró el 26 de setiembre del año 46 a.C. y en él se depositaron numerosas obras de arte, entre ellas dos quadros de Timomaco de Bizancio, adquiridos por César por la suma de ochenta talentos; seis colecciones de gemas talladas y una coraza salpicada de piedras preciosas traídas de Britania. Habían además una estatua de César y otra de Cleopatra.
La estatua de culto que reproducía a Venus con un amorcillo en sus hombros y un niño en brazos fue realizada por el escultor griego Arcesilao y colocada en el ábside que se abría en el fondo de la celda del templo, primer ejemplo que se conoce de un diseño arquitectónico y de planimetría que habría logrado conquistar tanto éxito en el futuro.

EL FORO DE AUGUSTO

La decisión de construir un nuevo Foro fue tomada por Augusto con un voto hecho a Marte en el año 42 a.C. en vísperas de la batalla de Filippi contra Bruto y Casio, los homicidas de César. El **templo de Marte Ultor**, es decir "vengador", que era el edificio principal del Foro, se inauguró solo 40 años después. Construido en mármol de Carrara, el templo tenía ocho columnas en la fachada y otras tantas lateralmente y se hallaba decorado con un gran altorelieve en el frente. Este mostraba en el centro al dios Marte, apoyándose en una lanza y, a su lado, Venus con Eros y la Fortuna; seguían, a la dere-

La denominada Vasija de Portland, de la época de Augusto, con escenas mitológicas (Londres, British Museum)

Ara Pacis, friso sur con procesión de la familia de Augusto

Foro de Augusto: el templo de Marte Ultor, reconstrucción

cha, la Diosa Roma y la personificación del Tíber; a la izquierda, después de Venus, Rómulo en el acto de interpretar los auspicios del vuelo de los pájaros y la personificación del Palatino.
En la celda del templo se guardaban la espada de César y las insignias legionarias confiscadas por los Partos a Craso, que le habían sido devueltas a Augusto. El Foro se hallaba destinado totalmente a la exaltación del emperador y de su papel de restaurador de la tradición y de continuador de las hazañas históricas de Roma en el ámbito de un proyecto "providencial" deseado y protegido por los dioses. Como materialización de estos conceptos y para atraer hacia ellos la atención de la gente, un gran número de estatuas de héroes y grandes personajes se hallaba en las exedras y bajo los pórticos: desde Eneas a su hijo Yulo y a Rómulo, desde los reyes de Albalonga a los *"summi viri"* (los espíritus magnos) de la República.
En el centro de la plaza, delante del templo, todo el "discurso" se concluía convergiendo en la estatua de Augusto representado sobre el carro triunfal. Otra estatua del emperador, de 14 metros de altura, se colocó más adelante en una sala suntuosamente decorada, en el fondo del pórtico a la izquierda del templo, adosada como éste al gran murallón que separaba al Foro del barrio de la Suburra.

EL FORO DE TRAJANO

El desmantelamiento de la colina donde se edificó el nuevo foro, se inició quizás bajo Domiciano, mientras la construcción del enorme complejo se realizó enteramente bajo Trajano, que inauguró el foro en el año 112 d.C. y la columna en el año 113 d.C. Todo el edificio constituía un himno al triunfo del emperador sobre los bárbaros Dacios, poblaciones que vivían en las regiones de la actual Rumanía.
En medio de la enorme plaza surgía la estatua ecuestre del emperador. Esta plaza se encontraba cerrada en el lado este por la basílica y se encontraba rodeada de pórticos en los otros lados, de los cuales el lado oeste era curvilíneo. Los pórticos de los lados más largos sostenían un ático decorado con estatuas de bárbaros alternadas por relieves con acumulación de armas y con retratos de los emperadores precedentes y de los miembros de la familia imperial (*imagines clipeatae*). En el medio de los lados más largos se abrían dos profundas exedras con una hilera de pilares. La gran basílica se asomaba a la plaza con una columnata y tres saledizos de los que surgían grupos de bronce de bigas y cuádrigas. El espacio interior estaba formado por un pórtico de dos naves y dos pisos que flanqueaban la enorme sala central. Desde los lados más cortos, se abrían después del pórtico dos exedras simétricas a las del foro, destinadas a tribunales.
El lado oeste de la basílica se asomaba a un pequeño patio en el centro del cual se erguía la columna historiada, mientras en los lados norte y sur surgían una biblioteca latina y otra griega.
El fuste de la columna narra las empresas del emperador en la conquista de Dacia. Los visitantes del foro podían admirar los relieves de la columna y seguir la narración desde las terrazas de las bibliotecas y desde la basílica.
Después del fallecimiento y la divinización del emperador, el conjunto albergó sus cenizas en una urna de oro macizo depositada en la base de la columna y celebró su divinidad por medio de la construcción de un gran templo, que recientes investigaciones colocarían, a diferencia de lo que se creía hasta ahora, en el centro del lado este curvilíneo.
El episodio narrado por el historiador Ammiano Marcellino nos da prueba, aún con el paso del tiempo, de la grandeza del conjunto: cuando el emperador de oriente Constancio II llegó a Roma por primera vez en el año 356 d.C., asombrado por la belleza de la estatua ecuestre de Trajano que surgía en medio de la plaza del foro, manifestó su deseo que le hicieran otra igual. Sin embargo, el príncipe persa Hormisdas, que le acompañaba, objetó con perspicacia: "Pero antes oh emperador, señor mío, haz construir una cuadra como ésta, si eres capaz, y después que te hagan también el caballo que deseas erigir similar al que vemos".

La Basílica Ulpia en el Foro de Trajano: reconstrucción del interior

LOS MERCADOS DE TRAJANO

El enorme y articulado conjunto en ladrillo, hoy llamado "Mercados de Trajano", reviste y contiene en sí mismo la pared de roca extraída tras el desmantelamiento de la colina que unía el Quirinal y el Capitolio.
Este amplio plan urbanístico fue realizado para obtener la llanura ocupada por el foro de Trajano. El edificio está formado por varios cuerpos: En la zona próxima al valle un gran hemiciclo que sigue la curvatura de la exedra del foro de Trajano da a la calle con una serie de ambientes destinados probablemente al comercio (*tabernae*) y termina en sus lados extremos con dos aulas absidales.
Con sus tres pisos, el hemiciclo alcanza el nivel de una segunda calle enlosada que, todavía hoy, conserva el nombre que se le asignó en la Edad Media: *Via Biberatica*.
Encima de esta calle se encuentran los otros dos cuerpos principales del conjunto: Una gran aula con bóvedas de crucería en cuyos lados se distribuyen espacios por una altura de tres pisos y, más hacia el este, otro conjunto de espacios, esta vez con hornacinas en las paredes a los lados de una gran aula absidal, dispuestas alrededor de un foco de luz.
A este último núcleo se le quiso atribuir la función de la sede del funcionario imperial (*procurator*), responsable del funcionamiento del foro de Trajano. De hecho, todo el conjunto de los "mercados", según los descubrimientos epigráficos durante unas recientísimas excavaciones, albergaba las oficinas administrativas de las actividades del foro, que desempeñaba totalmente su papel de ceremonia y representación.

Los Mercados de Trajano, aula central

La Columna de Trajano, detalle del fuste

EL FORO ROMANO

Centro comercial, religioso y político de la ciudad, hasta fines de la época republicana y monumental lugar de memorias "sagradas" para toda la antigüedad, el **Foro Romano** está vinculado a la transformación en organismo urbano de las primeras aldeas que surgían en las cumbres de las colinas que lo rodean.
Situado entre el Palatino, el Capitolio y las últimas laderas del Quirinale y del Viminale, el valle del Foro fue también asiento, aunque marginalmente, de pequeños núcleos de cabañas y de un cementerio extenso, entre fines de la edad del bronce y principios de la edad del hierro. Sucesivamente, fue el centro de los poblados unificados, convirtiéndose en el corazón de la ciudad desde que, hacia fines del siglo VII a.C., después de haber sido saneados sus terrenos pantanosos mediante la Cloaca Máxima, recibió una regular delimitación y la primera pavimentación.
Desde ese momento, mientras que la parte del valle situado a los pies de la Roca Capitolina se destinaba a las funciones políticas (con la creación del "Comicio") para las asambleas del pueblo y de la "Curia", para las sesiones del Senado, la parte más amplia servía como "plaza" (el Forum en sí), en donde a las bodegas y a los puestos de mercado se añadían los santuarios más antiguos de la ciudad (de Vesta, Saturno, Jano y de los Dióscuros).
La vía Sacra que cruzaba toda la plaza y subía hasta el templo de Júpiter en el Capitolio, quizás deba su nombre precisamente a la presencia de dichos santuarios.
Junto a estos, otro lugar cobró especial importancia y un profundo significado: el sitio donde un particular conjunto de pequeños monumentos (un altar, una columna honoraria y un cipo con una inscripción que se remonta al siglo VI a.C.) fue interpretado como la "tumba" del mítico fundador Rómulo y protegido con grandes piedras negras (*Lapis Niger*).
Mientras tanto, durante el siglo II a.C., la construcción de las primeras basílicas (en particular de la Basílica Emilia) subrayó el carácter de centro de la vida política y administrativa del Foro, el cual comenzó a asumir su fisionomía definitiva. Esto se logró en el último siglo de la República después de que el edificio del ***Tabularium***, sede del Archivo de Estado, construido a principios del siglo I a.C. en las laderas del Capitolio, estableciese su eje principal de orientación.
Julio César y Augusto completaron la última global y monumental ordenación del Foro: el primero trasladando la Curia y los Rostros (la tribuna desde la cual los magistrados hablaban al pueblo) y cons-

Foro Romano: vistas del lado noroeste con el arco de Septimio Severo

truyendo la Basílica Julia frente a la Emilia; el segundo, cerrando el cuarto lado de la plaza, aún indefinido, con el templo dedicado al mismo César divinizado.

Con este arreglo coincidió sin embargo para el Foro el principio de la decadencia de su intenso y a veces tumultuoso y dramático papel de corazón pulsante de la ciudad.

Con la llegada del imperio, de hecho, el centro de la vida pública se desplazó cada vez más hacia el conjunto de los próximos Foros imperiales, más grandes y más funcionales.

El antiguo Foro se transformó entonces en un monumental lugar de representación y memorias históricas al cual se siguió recurriendo casi solo para añadir a la ya densa trama de edificios algún otro "monumento" conmemorativo y honorario: los templos de Vespasiano y Tito y de Antonino y Faustina situados en sus márgenes, el arco de Septimio Severo, situado en cambio entre los Rostros y la Curia, los monumentos ecuestres de Domiciano y Constantino, las columnas honorarias frente a la Basílica Julia.

Precisamente, una columna honoraria, aquella para el emperador de Bizancio Focas, fue en el año 608 d.C. el último monumento erigido en el Foro, cuando además la historia milenaria del sitio más importante de Roma ya había decaído hace tiempo.

Un panorama lleno de animación y sumamente atractivo de la vida que se desarrollaba en el Foro durante la época republicana nos la da Plauto en su comedia "Curculio", así parafraseada: "Es célebre la clásica escena en que el poeta acompaña al espectador por los sitios principales del Foro y los lugares próximos, subrayando con agudeza el aspecto característico de cada uno de ellos según las personas que los frecuentan.

Allí en el Comicio en donde están sentados los jueces y desde la tribuna en donde hablan los oradores, ves a los perjuros, a los mentirosos y a los simuladores; cerca de la estatua de Marsia, abajo en la plaza, los abogados, los pleiteantes y los testigos; cerca de las tiendas

Arco de Tito: el triunfo de Tito y los restos del Templo de Jerusalén

viejas y nuevas frente a la basílica, las meretrices, los banqueros, los usureros y los corredores; en el ínfimo foro, las personas serias y de bien que tranquilamente se entretienen; en el medio, al lado del canal, la canalla (*canalicolae*), los parásitos que esperan las propinas de los ricos, los charlatanes y los borrachos; en la parte alta, los murmuradores y maldicientes. Detrás del templo de los Cástores y del Vico Tusco, se reúne el hampa y la gente de mala fama; en el Velabro vemos a los horneros, carniceros, arúspices, jóvenes afeminados; al lado de la fuente de Juturna, los enfermos que beben su agua milagrosa; arriba en el cercano mercado del pescado, los sibaritas. Además, por doquiera, una muchedumbre de ociosos y vagabundos, los "forenses", que cuando no están ocupados en juegos de azar, se dedican a propagar noticias falsas y juzgan con la mayor ligereza los actos del gobierno... Y junto a ellos los simples y facilones que en tiempos calamitosos, en los que la novedad de fantásticos prodigios suele ser más frecuente, se dirigen al Foro o al Comicio para ver en donde había caído precisamente la lluvia de sangre o de leche, qué rastros había dejado un inmenso enjambre de abejas que se había posado allí encima, deduciendo auspicios fastos o nefastos de unos u otros signos, tales como el aparecer de un arco iris o de tres soles en el templo de Saturno, el posarse de una bandada de buitres

Foro Romano: la Basílica Julia

Base de la columna de las Decenales: relieve con procesión en un sacrificio

Foro Romano, detalle del Tabularium

Foro Romano, el edificio de la Curia

sobre el templo de la Concordia o la entrada en éste de un búho."

Pero, junto a esa vida quizás picara y espontánea, en el Foro había siempre manifestaciones de otra vida más o menos "oficial", puesto que todo lo importante que sucedía en Roma tenía repercusión en él.

Por lo demás era allí donde los magistrados tenían su sede y sus despachos: los cónsules y los senadores en la Curia, los tribunos de la plebe en el Comicio, los pretores en los tribunales. Desde la tribuna de los Rostros, los magistrados y los candidatos a los cargos públicos peroraban a la muchedumbre, en el Comicio el pueblo elegía las magistraturas y en la Curia se reunía el Senado.

Las procesiones religiosas y las pompas triunfales pasaban por la vía Sacra y por ella pasaban también los grandes acompañamientos fúnebres que a veces se detenían ante los Rostros, desde donde se pronunciaba el elogio al difunto (célebre el de Marco Antonio en memoria de César).

En el marco del Foro se celebraban con frequencia grandes sacrificios en honor de los Dioses, pantagruélicos banquetes públicos hasta altas horas de la noche alumbrados por antorchas y hasta algunas ejecuciones capitales; pero todavía más a menudo la gran plaza se transformaba en un auténtico escenario para verdaderos espectáculos.

Entre ellos, los que atraían mayor número de espectadores entusiastas eran las luchas de gladiadores ofrecidas al pueblo gratuitamente.

El combate más famoso fue el que organizara César Edil en el año 65 a.C., en el que tomaron parte 320 pares de gladiadores; igualmente famoso fue el banquete ofrecido también por César para celebrar su cuádruple triunfo en el año 45 a.C. y que durante varios días acogió a veintidós mil comensales.

La construcción del Coliseo acabó con los espectáculos del Foro cuando ya la vetusta plaza había perdido su carácter de centro de la vida pública urbana.

LA PLAZA DEL FORO

Hacia fines de la antigüedad, la plaza del Foro Romano se presentaba como un estupendo y único escenario de monumentos plenos de significado e historia.En el marco del Capitolio, desde cuyas dos cumbres se erguían los templos de Júpiter Optimo Máximo y de Juno Moneda, la plaza se cerraba hacia el norte con la imponente fachada de arcadas del *Tabularium* a la cual se adosaban los templos de Vespasiano y de la Concordia. De este lado, directamente enfrente de la plaza, se encontraban la tribuna de los Rostros, adornada con los mascarones de proa de bronce arrancados de los barcos de los Volscos a fines del siglo IV a.C. y el Arco de Septimio Severo.

La plaza del Foro, reconstrucción

PROPAGATVM

Como "bastidor" del escenario, en cambio, en el lado izquierdo se alineaban el templo de Saturno, la basílica Julia, precedida por una fila de siete columnas honorarias, y el templo de los Cástores; en el lado derecho, la Curia del Senado y la basílica Emilia, precedida por la capillita de Venus Cloacina. En el cuarto lado, como límite de la plaza, se encontraba el templo del Divo Julio, flanqueado por dos Arcos, uno en honor de Augusto y otro de sus dos sobrinos y príncipes herederos, Cayo y Lucio César. Casi en el centro de la plaza se había colocado en el año 91 d.C. una estatua ecuestre de Domiciano para conmemorar sus victorias sobre los Germanos, mas la estatua fue destruida por el furor del pueblo después del homicidio de Domiciano y la condena de su memoria: en su lugar, casi dos siglos y medio después, fue erigida otra en honor de Constantino. Detrás de ella, una columna aislada sobre un alto basamento, sobre una escalinata cuadrada, fue construida en el año 608 d.C. en honor del emperador bizantino Focas, cuyo único mérito había sido el haberle donado el Panteón al papa Bonifacio IV. Pero a principios del siglo VII la vida del Foro seguía únicamente en parte cerca de los monumentos transformados en iglesias por los cristianos. Un siglo después el lugar se hallaba casi totalmente abandonado.

LOS TEMPLOS DE SATURNO Y DE LA CONCORDIA

Atribuido por la tradición a los últimos años de la edad regia o a los primerísimos de la República (498/7 a.C.), el **Templo de Saturno** se veneraba como uno de los santuarios más antiguos de Roma. El aspecto actual es el que le diera una restauración de fines del siglo III d.C. después de haber sufrido un incendio. En el interior de su alto podio, en un ambiente hecho a propósito, se hallaba guardado el Erarium, o sea el tesoro del Estado.
A los pies del templo, Augusto dispuso edificar, en el año 20 a.C. la columna del **Miliarium Aureum** alrededor de la cual se hallaban indicadas con letras de bronce dorado las distancias entre Roma y las principales ciudades del imperio. En este mismo lugar, considerado el centro (*umbilicus*) de Roma, comenzaba el **Clivo Capitolino** que, siguiendo por la vía Sacra, subía al Capitolio hasta el templo de Júpiter, pasando por delante del **Templo de Vespasiano**, comenzado por Tito para honrar a su padre divinizado y dedicado también a él por su hermano y sucesor Domiciano, y del **Pórtico de los Dioses Consintientes**, donde se encontraban expuestas en seis parejas, las estatuas de las doce mayores divinidades del Olimpo.

Los templos de Saturno y de la Concordia, reconstrucción

Junto al Templo de Vespasiano se encontraba el **Templo de la Concordia** adosado al edificio del **Tabularium**, sede del archivo de Estado y atribuido a la fundación de Marco Furio Camilo quien, según se cree, lo había construido para recordar la pacificación realizada entre los patricios y plebeos.
Restaurado varias veces y finalmente reconstruido por Tiberio, este presentaba la particularidad de que su interior, con la celda precedida por un pronaos de seis columnas, estaba dispuesto en el sentido longitudinal.
Los autores antiguos recordaban que ese templo guardaba numerosas obras de arte de autores célebres, especialmente griegos, que lo habían transformado en un verdadero "museo". Frente al templo de la Concordia, el **Arco de Septimio Severo**, construido en el año 202 d.C. por el Senado y el Pueblo Romano, recuerda al emperador que había extendido las fronteras del imperio hasta Mesopotamia.

LA BASILICA EMILIA

Como las otras tres (Porcia, Opimia y Sempronia) construidas durante el siglo II a.C., la **Basílica Emilia** tuvo como fin ofrecer a los que asistían al Foro un acogedor lugar cubierto, capaz de alojar durante la estación invernal y en caso de lluvia, por lo menos una parte de las funciones que normalmente se desarrollaban al aire libre, sobre todo aquellas vinculadas a la administración de la justicia y a los negocios.
La basílica se construyó en el año 179 a.C. por obra de los Censores Marco Emilio Lépido y Marco Fulvio Nobiliore, detrás de una fila de *tabernae* destinadas a los banqueros; restaurada varias veces (por último por obra de Augusto en el año 14 a.C. y luego por Tiberio en el año 22 d.C.), ésta incorporó las mismas tabernas en su pórtico en la planta baja formado por una serie de dieciséis arcos entre pilastras con semicolumnas y coronado por un pórtico análogo en la planta superior.

Basílica Emilia: relieve con imágenes sobre los orígenes de Roma

Basílica Emilia, arco de entrada

Reconstrucción de la fachada de la Basílica Emilia

Su interior se hallaba subdividido por filas de columnas en cuatro naves y poseía un precioso pavimento de mármol de edad augustal. Sobre este piso aún se observan las huellas del incendio que destruyó la Basílica en el año 410 d.C. durante el saqueo de Roma por obra de los Visigodos de Alarico.
Asomada directamente a la plaza forense, la basílica Emilia limitaba uno de sus lados mayores seguida, más allá de la antiquísima vía del Argileto, por el edificio de la Curia, después del cual, a los pies de la poderosa *Arx* (roca) Capitolina, parcialmente obstruida por el Arco de Septimio Severo y dominada por el templo de Juno Moneda se encontraba la **Cárcel Tuliana** (o "Mamertina"). Delante de su escalinata, una capillita redonda había sido dedicada a Cloacina, la divinidad de la **Cloaca Máxima** situada precisamente debajo de ella. Se cree que en este santuario ocurrió la pacificación y purificación de los soldados romanos y sabinos después de la batalla combatida en el Foro como consecuencia del famoso "rapto" de las mujeres.

LOS TEMPLOS DE CÉSAR Y DE LOS CÁSTORES

Después del homicidio de César, el 15 marzo del año 44 a.C., el Senado le erigió una columna honoraria y un altar en el lugar donde fue cremado el cuerpo del dictador. Sólo en el año 31 a.C., Octaviano, hijo adoptivo y heredero de César, comenzó en aquel mismo lugar la construcción de un templo dedicado al **Divo Julio**, terminado en el año 29. En el basamento del templo se dejó un nicho, sucesivamente tapiado, para respetar el altar anterior mientras que, por encima de él, se realizó una tribuna adornada con los mascarones de bronce, arrancados de las naves de Antonio y Cleopatra en la batalla de Azio.
El templo estaba flanqueado por dos arcos, el primero, en el lado sur, recordaba la batalla de Azio; el otro, en el lado opuesto, fue hecho construir por el Senado para celebrar la restitución, al emperador Augusto, de las insignias legionarias capturadas por los Partos al triunviro Crasso en la batalla de Carrhae y quizás dedicado más adelante a sus dos sobrinos y príncipes herederos Gaio y Lucio Cesari.
Al lado del templo de César surgía ya desde principios del siglo V a.C. el **Templo de los Cástores**. Su construcción se hallaba vinculada a una leyenda: durante una batalla combatida por los romanos contra los etruscos y latinos, dos jóvenes de extraordinaria belleza cabalgando lanza en ristre delante de la caballería romana la guiaron hacia la victoria.
Casi al mismo tiempo, dos jóvenes idénticos fueron vistos bajar de dos caballos en el Foro y abrevarlos en la fuente de Juturna. A cuantos les pedían noticias de la batalla, estos les contaban cómo los romanos habían ganado, desapareciendo poco después. Todos estaban convencidos de que aquellos jóvenes fuesen los Dióscuros Cástor y Pólux, hijos de Júpiter.
Aulo Postumio Albino, comandante de la caballería el mismo día de la prodigiosa visión (15 de julio del año 499 a.C.) les prometió a los dos gemelos divinos que les edificaría un templo, construido quince años después por su mismo hijo y restaurado y ampliado repetidas veces hasta que fue reformado por Tiberio en el año 6 d.C., cobrando el aspecto que hoy podemos deducir por las tres columnas que aún quedan en pie. En la base había numerosas tabernae o bodegas de joyeros, agentes de cambio y hasta de barberos.

Estatua retrato del emperador Augusto, hallada en Prima Porta (Roma, Museos Vaticanos)

El templo de César y a la derecha el templo de los Cástores, reconstrucción

EL TEMPLO DE VESTA Y EL ARCO DE AUGUSTO

En el lugar donde la plaza del Foro empieza a remontarse hacia las laderas del Palatino se yergue el templo más importante para la ciudad y sus habitantes dedicado a la Diosa del "lar público del Pueblo Romano": el **Templo de Vesta**.

Según la tradición fue atribuido al rey Numa Pompilio y en él las Vestales custodiaban el fuego sagrado perenne, expresión y símbolo de continuidad de la vida de Roma.

Custodiados en el lugar más recóndito del templo se conservaban religiosamente los objetos sagrados (entre ellos el Paladio, simulacro de Minerva) que, según reza la leyenda, Eneas había traído de Troya como prenda y garantía del imperio.

Según algunos autores la forma del templo era redonda porque había sido diseñado como una cabaña, sede del más antiguo lar doméstico y estaba abierto por la parte superior para facilitar la salida del humo; fue reconstruido por la última vez a fines del siglo II d.C. por Julia Domna, esposa del emperador Septimio Severo.

Frente al templo de Vesta, precedido por una pequeña fuente circular de mármol blanco, se erguía el **Arco de Augusto**. Dicho templo fue construido por el Senado para celebrar la devolución al emperador de las insignias legionarias capturadas por los Partos al triunviro Craso y sustituía un arco construido pocos años antes para recordar la victoria de Augusto contra Antonio y Cleopatra, en Accio, en el año 31 a.C..

Sobre las paredes internas del Arco, se hallaban grabadas en paneles de mármol las listas de los Fastos consulares con los nombres de los cónsules y generales que habían obtenido el honor del triunfo a partir de principios de la república.

En el fondo, detrás de la imponente mole del templo de los Castores que dominaba el Arco, se asomaban hacia el Foro las fábricas (edificios) de los Palacios Imperiales del Palatino y, en particular, del Palacio de Tiberio completado por Calígula y ampliado por Adriano con la monumental fachada de arcadas.

Aureus con el retrato de Antonio

Retrato en mármol de la reina Cleopatra (Berlín, Museos del Estado)

El templo de Vesta, el arco de Augusto y el templo de los Cástores. Al fondo las construcciones del Palatino

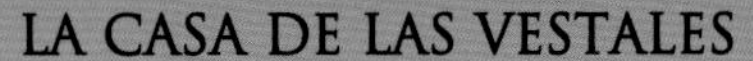

LA CASA DE LAS VESTALES

Junto al Templo de Vesta, la Casa de las Vestales era la residencia y sede oficial de las sacerdotisas encargadas de la custodia del fuego sagrado que ardía en el templo y de los ritos vinculados al culto del lar. Las Vestales eran seis, ingresaban de aspirantes entre los 6 y 10 años, hacían voto de castidad y permanecían en el sacerdocio por 30 años. Eran elegidas por el Pontífice Máximo quien sorteaba las "novicias" entre veinte doncellas aspirantes pertenecientes a las familias patricias, pero más adelante también a las plebeas.

Las Vestales recibían del Estado una conspicua dote y a ellas se les reservaban todos los honores incluyendo el de ser acompañadas por lictores al igual que los magistrados supremos. Era tan alta su sagrada dignidad que los condenados a muerte que casualmente se cruzaban con ellas el día de la ejecución eran indultados.

Sin embargo, el castigo para las que hubieran dejado apagar el fuego o no hubieran mantenido el voto de castidad era tremendo: eran enterradas vivas (con un pan y un candil) en un pequeño cuarto subterráneo en el lugar denominado "Campo desalmado" fuera de las murallas en la colina Quirinal.

La Casa (que con razón ha sido considerada como prototipo de los conventos modernos) había sido construida alrededor de un amplio patio jardín rodeado de pórticos a los cuales se asomaban los ambientes destinados a la estadía y al hospedaje de las Vestales, a los servicios y al personal encargado de ellos.

La Casa gozaba de autonomía: aún se distinguen fácilmente la cocina, el molino y el horno. En el piso superior se hallaban las habitaciones privadas con baño y sistema de calefacción, mientras que en el lado principal de la planta baja se encontraba una capillita dedicada a los Lares, flanqueada por tres habitaciones en cada lado que es lógico atribuir a cada una de las Vestales.

En el lado opuesto un gran ambiente se identifica como el "triclinio".

Cabeza de Vestal (Antiquarium del Palatino)

La Casa de las Vestales: vistas desde el Palatino

La Casa de las Vestales, patio central y pórticos: reconstrucción

LA BASÍLICA DE MAJENCIO

El emperador Majencio no logró ver terminada su **Basílica**. Murió en el Tíber en el puente Milvio en la famosa batalla del año 312 d.C. luchando contra Constantino. Así que fue este quien inauguró la última y mayor de las basílicas romanas después de haberle aportado algunas modificaciones. Se conservó la larga perspectiva majenciana hacia el fondo de la nave central, orientando sin embargo los acentos arquitectónicos hacia la colosal estatua de Constantino colocada en un ábside. Se creó un nuevo eje de perspectiva perpendicular al primero con la abertura de una nueva entrada en el lado mayor que da a la vía Sacra y añadiéndole un profundo ábside con nichos en la arcada central de la nave derecha.

La Basílica que fue denominada "Nova", se construyó sobre una gran platea artificial en una ladera de la colina Velia, en donde había estado el triple pórtico que servía como vestíbulo para la **Domus Aurea** de Nerón y que fue transformado más adelante en "almacén" de mercancías exóticas y de lujo procedentes de Oriente. Las tres naves no fueron cubiertas como de costumbre por envigados planos apoyados en columnas, sino por bóvedas con arcos cruceros apoyadas en pilares, de forma muy parecida a la que había sido adoptada un siglo antes para las grandes "basílicas" de las Termas. Esto permitió a la nave central elevarse a una altura de 35 metros con excepcional ligereza y suma claridad de espacios, hasta alcanzar los rosetones de los alféizares que le brindaban al conjunto maravillosa armonía.

Un terremoto, del que ya nos habla Petrarca en 1349, fue la causa de que se derrumbasen las maravillosas bóvedas. Solo una de las ocho columnas (de veinte metros de altura) adosadas a las pilastras quedó en pie hasta el año 1614, cuando el papa Pablo V la trasladó, con sesenta caballos, hasta la plaza de Santa María la Mayor. Mas no se perdió nada de su "lección" ya que en las ruinas se inspiraron arquitectos insignes, tales como Bramante, Rafael, Sangallo y Miguel Angel, quienes con su ingenio supieron fijar la osadía y armonía de antaño en la Basílica Vaticana.

La Basílica de Majencio: reconstrucción del interior

Estatua retrato del emperador Majencio.

EL PALATINO

Si bien el Foro fuera durante muchos años el centro de la vida pública de Roma y en él se forjase durante mucho tiempo el destino del mundo antiguo, no hay duda de que el Palatino fue siempre para los romanos el lugar "sagrado" donde la ciudad había nacido.

Esa colina, aislada de las demás y en posición dominante sobre el Tíber, cerca de la Isla Tiberina y sobre el mercado del Foro Boario, había despertado la imaginación de los antiguos habitantes que le habían designado como el lugar en donde se había realizado la legendaria "fundación" de Roma y el "surco cuadrado" trazado por Rómulo el 21 de abril del año 754 a.C..

Como que la fantasía no andaba muy lejos de la realidad ya que, precisamente en el Palatino, los arqueólogos sacaron a la luz restos de cabañas de principios de la edad del hierro que demuestran la existencia de un poblado en el mismo lugar donde la tradición colocaba la *"Casa Romuli"*, o sea la cabaña del mítico fundador.

Puede ser que ese pequeño grupo de cabañas no hubiese sido "fundado" ni habitado por Rómulo, quizás ni tan siquiera se llamase Roma, pero debe considerarse por lo menos como una de las aldeas, seguramente la principal, que, con el pasar del tiempo, le brindara a Roma una vida y organización urbana auténtica. Casi nada se sabe sobre la historia del Palatino en los primeros siglos de vida de la ciudad; parece que, a excepción de tres templos (de la Victoria, de Júpiter Statore y de la *"Magna Mater"*), no se había construido ningún edificio público.

Al contrario, especialmente en los últimos dos siglos de la República se edificaron allí numerosas habitaciones privadas y villas "urbanas" de ricos e ilustres personajes.

Finalmente, Augusto, en el año 44 a.C., decidió trasladar su morada al Palatino e hizo levantar un templo dedicado a Apolo, inaugurado en el año 28 d.C..

Desde entonces, casi todos los emperadores se fueron a vivir al Palatino que, poco a poco, sobre todo por obra de algunos de ellos, se transformó en una inmensa y suntuosa morada: el Palacio por excelencia, tal como fue llamado precisamente por el nombre de la colina, *Palatium*.

El primer palacio imperial verdadero y propio fue construido por Tiberio, sucesor de Augusto, y ampliado por Calígula quien

Pintura con representación de Apolo Citaredo (época de Augusto, Antiquarium del Palatino)

Estatua de Sátiro del siglo II d.C. (Palatino, Antiquarium)

extendió el edificio hasta los mismos límites del Foro Romano. Claudio y Nerón, entre los años 41 y 69 d.C. erigieron ahí la llamada *“Domus Transitoria”* que luego fue destruida en el gran incendio del año 64 sin que fuera reconstruida.
Mas fue sobre todo Domiciano quien, entre los años 81 y 92 d.C., dispuso edificar un palacio nuevo y más grandioso sobre las ruinas de aquella, ocupando todas las demás zonas que aún quedaban libres. La mansión de Domiciano denominada *Domus Augustana*, es decir “Casa del Augusto”, o sea del emperador, se hallaba constituida por el Palacio de representación y la residencia privada, un gran estadio o hipódromo y un edificio termal. Extendiéndose por las laderas de la colina hasta llegar a la cumbre con atrios y escalinatas, peristilos y salones, pórticos, terrazas y fuentes, la gran *Domus* “era una de las cosas más bellas del mundo - según escribió el poeta Marcial -alta mole colosal formada por siete montes colocados uno sobre otro hasta tocar el cielo”.

Pintura de la Casa de Livia en el Palatino

Estatua del dios Dioniso, réplica romana del siglo II d.C. (Palatino, Antiquarium)

Después de Domiciano, se ocupó del Palatino Septimio Severo, entre fines del siglo II y principios del siglo III, con obras que, aunque fueron de continuación e integración de los proyectos no realizados por Domiciano (como en el caso de las termas) constituyeron, sin embargo, otro grandioso aporte a la monumentalidad de los edificios imperiales. Baste pensar que no quedando ya espacio libre, dicho emperador dispuso extender la explanada artificialmente desde la colina hacia el sur, alcanzando una notable altura, hasta llegar a la escalinata del Circo Máximo subyacente; para este fin se construyó una serie de arcos de ladrillo de dos órdenes, de veinte a treinta metros de altura.

Para terminar el conjunto de edificios palatinos, el mismo Septimio Severo dispuso en fin edificar a los pies de la

La denominada Danzadora, réplica romana de época imperial realizada a partir de un original griego del siglo V a.C. (procedente de la Domus Augustana en el Palatino)

colina, el famoso *"Septizonium"*, un singular escenario de varios pisos con numerosas columnas, nichos y estatuas, probablemente animado por juegos de agua como los templos de las ninfas, que maravillaba a todos los que llegaban a Roma por la vía Appia, a través de la Puerta Capena que se abría en las antiguas murallas republicanas.
Después de Septimio Severo, a excepción de un gran templo que hizo construir Heliogábalo, en el siglo III, sobre una vasta terraza, parcialmente artificial, en la esquina cerca del Coliseo, no se realizaron más obras importantes en el Palatino. Es más, los emperadores comenzaron a abandonarlo a principios del siglo IV, a partir de Diocleciano.
El abandono fue definitivo cuando Constantino trasladó la capital del imperio a Bizancio. Siguió la decadencia de los mismos lugares de culto y con las devastaciones de los Godos, las estructuras se derrumbaron y el tiempo las fue arruinando.

LA DOMUS AUGUSTANA

Los contemporáneos juzgaban a la Domus Augustana en el Palatino, "digna habitación de un Señor y Dios" y ciertamente debía tratarse de un conjunto de grandiosidad y magnificencia sin par ya que, a pesar de la restauración y sucesivas ampliaciones, siguió siendo el Palacio del emperador (o del "Augusto") hasta fines de la antigüedad.
Fue hecha construir por Domiciano y el supervisor de las obras, cuya construcción duró alrededor de una década y se completó en el año 22 d.C., fue el arquitecto Rabirio, uno de los grandes protagonistas de la magnífica arquitectura romana de quien nos ha llegado el nombre relacionado con la precisa indicación de la obra.
El Palacio se extendía por toda la parte central de la colina, y se dividía en dos sectores: uno situado alrededor de dos grandes peristilos con vastos ambientes para actos y ceremonias públicas, dedicado a los actos oficiales y de representación; el otro se hallaba destinado a la residencia privada del emperador y de su familia.

Cabeza de joven con gorro frigio, procedente de la Domus Augustana (siglo II d.C.)

Este segundo sector se desarrollaba, en particular, por las laderas de la colina oportunamente cortadas y emparejadas; la forma de su fachada monumental era una gran exedra en frente del Circo Máximo.
En el centro tenía un patio cuadrado rodeado por un pórtico de columnas de dos pisos y casi totalmente ocupado por una fuente decorada con estatuas y caracterizada por un diseño en forma de cuatro peltas (los característicos escudos de cuero de las Amazonas) simétricas por pares.
Todo el conjunto se hallaba rodeado por grandes salones y numerosos ambientes menores, exedras y templos de las ninfas; una escalinata de dos rampas aún conservada llevaba al piso superior dotado de numerosos ambientes más pequeños que, casi seguramente, constituían el conjunto residencial en sí.

Estadio Palatino, detalle del pórtico norte

Cabeza de Apolo procedente de la Domus Augustana, réplica romana realizada a partir de un original griego del siglo IV a.C.

EL ESTADIO PALATINO

Para completar el Palacio Imperial, Domiciano había dispuesto añadir, a lo largo de todo el lado oriental del mismo, un edificio en forma de circo que, denominado comúnmente "estadio", debería interpretarse mejor dicho como "hipódromo" e, igualmente, como jardín monumental.
En realidad se trataba de un gran edificio caracterizado por una vasta superficie abierta, de aproximadamente 88 metros de largo y con uno de sus lados menores de forma corva, rodeado completamente por un pórtico de dos pisos: la planta baja, sobre pilastras de ladrillos recubiertas de mármol y decoradas con semicolumnas y el piso superior con altas columnas de mármol. En el centro de uno de los lados más largos, sobre el pórtico, se levantaba una majestuosa "tribuna" con una exedra central sobre tres ambientes abiertos a través del pórtico hacia la arena.
Esta debía tener en el centro el típico muro bajo longitudinal de la "espina" que dividía la pista de los circos en dos partes para las carreras de carros. En ambos extremos del muro había dos fuentes semicirculares.
En edad tardía, quizás hasta la época de Teodorico, en la parte sur de la arena se construyó un recinto de forma ovalada de incierta destinación,

Domus Augustana, reconstrucción del sector central

pero probablemente aún relacionado con la función primaria del edificio como "picadero" de caballos.

El emperador Septimio Severo dispuso construir una nueva ala del Palacio imperial más allá del estadio, que comprendía un edificio termal.

Para tal fin el emperador mandó ampliar el espacio aún disponible con una imponente terraza artificial que se apoyaba en gigantescas estructuras de arcadas que, con sus superficies de ladrillos a la vista, constituyen actualmente uno de los vestigios más característicos y llamativos del ángulo sur del Palatino hacia el Circo Máximo.

La Hera Borghese, procedente del Estadio Palatino (época imperial)

Estatua de Ninfa (?) de finales del siglo I d.C., procedente del Estadio Palatino

Al fondo, revestimiento en mármol de la pared, procedente de la Domus Tiberiana

El Estadio Palatino, reconstrucción

LA DOMUS AUREA

En el 64 d.C. un gran incendio tuvo lugar en la zona del Circo Máximo y alcanzó la cima del Esquilino, destruyó la mayor parte del centro de Roma. Si la leyenda que atribuye a Nerón la responsabilidad del incendio es sólo fruto de las mala fama de la que gozaba el emperador, es verdad que la destrucción acaecida por el desastre hizo más fácil la construcción de la *domus* más vasta jamás construida, que por el lujo de la decoración y la riqueza de los edificios tomó el nombre de Aurea.

Los arquitectos encargados de la construcción de la residencia imperial *Severus* y *Celer* adoptaron, en el pleno centro de Roma, la tipología de la villa extraurbana, hasta el punto que la *Domus*, según el historiador Tácito, II d.C., provocó la estupefacción en sus contemporáneos, no tanto por los preciosos materiales, ya presentes en el más antiguo de los edificios, sino por la presencia de bosques, prados y lagos, de los cuales el mayor ocupaba el valle donde se encuentra actualmente el Coliseo. Los edificios por tanto se distribuían por una zona vastísima que se extendía del Palatino al "colle Oppio" sobre las laderas del Celio.

Svetonio, autor de las biografías de los doce primeros emperadores, cuenta que el atrio de la residencia imperial estaba formado por un pórtico triple con una longitud de mil pasos, casi 1500 metros, y en la cual se encontraban el Colosso, una estatua de Nerón de 120 pies, (35 metros). Para la decoración de los interiores usaban todo tipo de preciados materiales, donde oro y marfil eran de uso normal, mientras las flores de las obras pictóricas se realizaban a menudo con piedras preciosas.

Los techos de los salones para los banquetes estaban construi-

Domus Aurea, figuras voladoras en la bóveda de la sala denominada de Héctor y Andrómaca

Cabeza retrato del emperador Nerón (Roma, Museo Nacional)

Domus Aurea, reconstrucción de la sala octogonal

dos en paneles móviles de marfil con el fin de arrojar perfumes y flores sobre los invitados. La decoración pictórica, encargada al pintor *Fabullus* seguía un estilo rico y lujoso que inseria formas recreando motivos geométricos enriquecidos constantemente con elementos de vegetación y de figuras imaginarias. De esta fastuosa residencia conocemos el pabellón del "colle Oppio".

Construido en terrazas que daban al valle, donde más tarde surgirá el Coliseo, el pabellón se dividía en tres cuerpos principales: los dos laterales reproducían el cuerpo tradicional de las villas con peristilos, con ambientes y salas distribuidas alrededor de un jardín porticado. El cuerpo central sin embargo separado de los laterales por amplios jardines de forma pentagonal tenía en su centro un aula octagonal, y en su bóveda, sostenida por pilares, se abría un pozo de luz circular: A los lados del octágono se encontraban espacios rectangulares cuyo punto de fuga convergía hacia el centro del aula, donde la luz debía crear efectos sugestivos en la iluminación de una estatua central. Claramente se trata de una de las salas para banquetes de la *domus*, pudiendo ser la principal, que según Svetonio, giraba continuamente sobre sí misma como la tierra.

Moneda de la época de Nerón con retrato del emperador

Después de la muerte de Nerón, acaecida en el año 68 d.C., los emperadores que le sucedieron restituyeron a la ciudad amplias partes de la *Domus Aurea*: Surgieron así sobre la superficie de la residencia imperial de Nerón monumentos públicos como el Coliseo y todos los edificios a él cercanos (p.ej.: los cuarteles donde se entrenaban los gladiadores, el hospital de los gladiadores y el depósito de la maquinaria utilizada durante los espectáculos), las termas públicas construidas por Tito además de la fábrica de la moneda del Estado (*Moneta*). El último sector desmantelado fue el ya citado lujoso pabellón del "colle Oppio" que completamente arrebatado de todos los materiales recuperables, fue enterrado para la construcción de las termas de Trajano.

Domus Aurea, hornacina con ventana en trampantojo

Domus Aurea, detalle del cuadro con representación de Aquiles en la corte del rey Licomedes, en el palacio real de Esciros

EL CIRCO MÁXIMO

Fundado, según la tradición, por el rey Tarquinio Prisco, en el lugar en donde ocurrió el legendario "rapto de las sabinas" y destinado para las carreras de carros, el "**Circo Máximo**" puede considerarse el mayor edificio para espectáculos de todos los tiempos. Su extensión máxima, en plena edad imperial, era de 600 metros de largo por 200 metros de ancho y tenía cabida para 300.000 espectadores. La última reconstrucción completa fue obra del emperador Trajano a principios del siglo II d.C.. Luego fue ampliado por Caracala y restaurado por Constantino y, en fin, Constancio II, en el año 357, lo hizo decorar con un obelisco egipcio (del faraón Tutmosis III que se añadió así al otro de Ramsés II) ya colocado por Augusto en el centro de la "espina".

Esta dividía la arena en dos partes y alrededor de ella giraban los carros para cumplir las siete vueltas normalmente previstas para las carreras.

Las graderías se hallaban divididas en tres secciones en sentido horizontal y estaban interrumpidas en el lado hacia el Palatino por el gran "palco" imperial unido a los palacios que surgían sobre las laderas de la colina.

Parte de los asientos de la parte superior se apoyaba en tribunas de madera, ya que frecuentes derrumbamientos provocaban la muerte de miles de espectadores (1.112 en la época de Antonio Pío y 13.000 en la de Diocleciano).

Los espectáculos en el Circo Máximo duraron muchos años.

A pesar de las prohibiciones y amonestaciones de la Iglesia (los arcos que sostenían las graderías eran punto habitual de reunión de gente del hampa) siguieron organizándose carreras hasta el siglo V d.C. y el último espectáculo fue el que organizó Totila, rey de los Godos, en el año 549.

Luego el conjunto fue abandonado, pronto comenzó la sistemática expoliación de los mármoles y sus estructuras comenzaron a hundirse.

Los dos obeliscos que yacían en el suelo en 1588 fueron colocados por el papa Sixto V respectivamente en las plazas del Pueblo y de San Juan de Letrán, donde se encuentran actualmente.

Mosaico representando a un auriga (siglo III d.C., procedente de la villa romana de Baccano)

El Circo Máximo, reconstrucción

EL TEATRO DE MARCELO

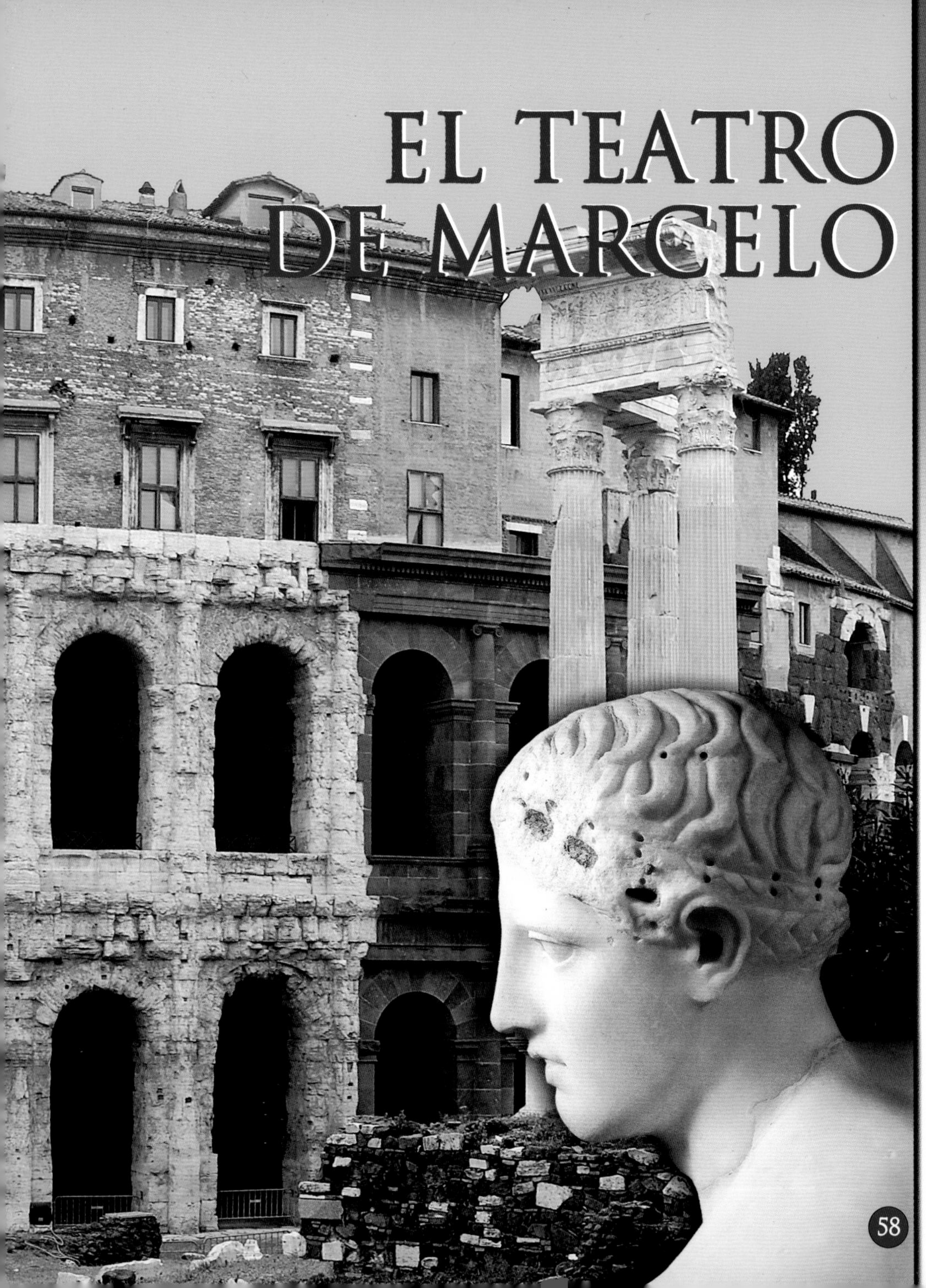

En Roma durante la edad republicana se hallaba prohibido construir teatros permanentes porque la severidad de las costumbres romanas consideraba que los espectáculos constituían un peligro para la moralidad de los ciudadanos.
Solamente hacia fines de la república Pompeyo osó construir el primer teatro permanente de piedra en lugar de los teatros temporales de madera que se desmantelaban después del uso.
Siguieron, algunas décadas después, el Teatro de Balbo y el de Marcelo, el único que hoy queda en pie entre el Capitolio y el Tíber.
Fue iniciado por César y terminado por Augusto en el año 11 a.C. y dedicado a la memoria de su sobrino y heredero Marcelo.
El teatro tenía un diámetro de 130 metros por una altura de alrededor de 30 metros y una capacidad de unos 15.000 asientos.
Sus notables restos se deben a que durante la Edad Media fue utilizado como "fortaleza" de las familias patricias romanas antes de que, en el siglo XVI, fuera transformado en Palacio, por Baldassarre Peruzzi para la familia Caetani. Se decidió construir el teatro en el lugar que ocupa por su proximidad al **Templo de Apolo** en cuyo honor, desde la antigüedad, se celebraban fiestas especiales que comprendían espectáculos teatrales.
El templo original fue fundado en el año 431 a.C. cuando por la primera vez se introdujo en Roma el culto griego de Apolo como divinidad de la salud (Apolo "*medicus*"), en cumplimiento de un voto hecho durante una grave epidemia de peste.
Este fue reconstruido más tarde en el año 36 a.C. por el cónsul Gaio Sosio y desde entonces fue denominado "Sosiano".
Refinadamente decorado con relieves y esculturas, el templo tenía un grupo escultural griego del V siglo a.C. en el espacio triangular de la fachada, que representaba una Amazonomaquia.
El templo al lado del de Apolo aun no tiene atribución cierta mas es probable de que sea el que había sido dedicado a Bellona, en el año 296 a.C., por Appio Claudio Ciego, el mismo que había dispuesto construir la Vía Appia pocos años atrás.

Cabeza de Teseo, procedente del frontón del templo de Apolo Sosiano

El teatro de Marcelo, el templo de Apolo Sosiano y a la derecha el templo de Bellona

LA ISLA TIBERINA

Cuenta la más remota tradición que la **Isla Tiberina** se formó cuando el pueblo, habiendo destronado al rey Tarquinio el Soberbio, arrojó al Tíber las mieses saqueadas en el Campo Marcio que pertenecían al rey fugitivo. En realidad, la isla se había formado naturalmente y mucho antes, en un lugar en que el lecho del río se ensancha y la fuerza de la corriente se atenúa.

La importancia de esta isla fue extraordinaria pues facilitando el cruce del Tíber permitía continuar el itinerario que ponía en comunicación al sur con el norte de la franja costera tirrénica; la isla era un punto estratégico y como tal fue una de las causas determinantes del surgir de Roma.

Protegida por un poderoso muro, la Isla Tiberina fue rectificada y modelada artificialmente de manera tal que imitaba el casco de un buque con un pequeño obelisco en el centro que, a guisa de "árbol", acentuaba tal parecido. En el año 291 a.C., después de una gran epidemia de peste, fue edificado allí el **Templo de Esculapio**, dios de la medicina, y desde entonces la isla adquirió un carácter esencialmente sagrado, vinculado con el culto y la salud.

El templo estaba rodeado de pórticos y otros edificios que acogían a los peregrinos enfermos que acudían a recobrar la salud por arte milagrosa y cabe precisar que la isla ha reanudado dicha función en la edad moderna manteniéndola hasta nuestros días, con la presencia de un hospital en ella (que, además, pertenece a un orden religioso).

Hacia fines de la época republicana, la isla se unió a la tierra firme por medio de dos puentes: el ***Puente Fabricio*** hacia la orilla izquierda que todavía se conserva intacto y que fue construido en el año 62 a.C. y el ***Puente Cestio*** hacia la orilla derecha de Transtíber, construido en el año 46 a.C. y completamente reconstruido en el año 370 d.C. por los emperadores Valentiniano, Valente y Graciano y, desafortunadamente, casi totalmente recompuesto a fines del siglo pasado.

La serpiente de Esculapio, dios de la medicina, al llegar a la isla Tiberina

Reconstrucción de la Isla Tiberina con el Templo de Esculapio

EL MAUSOLEO DE ADRIANO

Al igual que Augusto construyó su gran Mausoleo en el Campo Marcio, el emperador Adriano quiso edificar para sí y sus sucesores casi un siglo y medio después un sepulcro monumental.
El **Mausoleo de Adriano** surgió, pues, en la zona del *Hortus Domitiae* a orillas del Campo Vaticano. Comenzado hacia el año 130 d.C., el monumento era de forma cilíndrica, de 64 metros de diámetro y 21 metros de alto, con una base cuadrada toda ella revestida de mármol.
Un túmulo de tierra con cipreses y otras plantas probablemente remataba el cuerpo cilíndrico, mientras que coronando todo el monumento se elevaba la gran cuadriga de bronce dorado con la estatua del emperador.
Adriano fue sepultado en el Mausoleo un año después de su fallecimiento, es decir en el 139 d.C., cuando la gran obra fue terminada por Antonino Pío; después de él fueron sepultados, además de muchos otros miembros de la casa imperial, todos los emperadores hasta Caracala quien fue el último, en el año 217 d.C. Para facilitar el acceso al Mausoleo desde el Campo Marcio, Adriano dispuso construir un nuevo puente sobre el Tíber, llamado puente Elio, por el apellido de la familia del emperador. Conservado intacto hasta fines del siglo pasado, el Puente Elio, actualmente llamado Puente del Santo Angel, sufrió después una serie de mutilaciones y sus dos extremos fueron reconstruidos, por lo que solamente los tres arcos centrales son lo que queda intacto en la actualidad de todo lo que se construyó entre los años 130 y 134 d.C.
A principios del siglo V, el Mausoleo de Adriano fue incluido por Onorio en el cerco de defensa de las Murallas Aurelianas y quizás a partir del siglo X fue transformado en una fortaleza (Castillo de Sant'Angelo), para defender los Palacios Vaticanos a los cuales fue enlazado por un "viaducto" especial.

Castillo de S. Angelo de noche

El Mausoleo de Adriano, reconstrucción

EL PANTEÓN

Marco V. Agripa, entre los años 27 y 25 a.C., hizo construir un templo en el Campo Marcio que dedicó a todos los Dioses del Olimpo. Ese templo, con denominación griega, se llamó **Panteón**, pero ya no es el mismo de antes.

El Panteón actual fue completamente reconstruido entre los años 118 y 125 d.C. por Adriano, después de que el de Agripa fuera totalmente destruido por un incendio sufrido en el año 80. Diferente del precedente, el nuevo Panteón tenía forma circular y consistía de una aula con paredes cilíndricas rematadas por una gigantesca bóveda hemisférica abierta en lo alto con un gran orificio de 9 metros de diámetro. El diámetro de la aula (y por ende de la cúpula) es de 43,30 metros y equivale a la altura del edificio, o sea que éste podría contener una esfera perfecta en su interior.

Exteriormente la "rotonda" está precedida por un pronaos tradicional con dieciséis columnas monolíticas de granito egipcio rematadas por el arquitrabe con las letras de bronce (modernas pero colocadas en los mismos huecos de las antiguas) con el que Adriano quiso conmemorar al "fundador" del templo, Agripa, en el tercer año de su consulado. Sobre el arquitrabe la fachada se hallaba decorada con un altorelieve de bronce dorado y del mismo metal se hallaban revestidas también las vigas del interior del pronaos.

El papa Urbano VIII despojó al monumento de ese revestimiento para que Bernini lo destinase al gran baldaquín sobre el altar de la Confesión, en la Basílica de San Pedro.

En el Panteón, que todavía conserva excepcionalmente entre todos los monumentos de la antigüedad sus características originales a excepción de las estatuas y de los altares modernos, admiraremos columnas monolíticas de mármol amarillo antiguo y rosa.

Su conservación se debe a que fue transformado en iglesia después de que el emperador de Bizancio, Focas, lo donó al papa Bonifacio IV en el año 608 d.C..

El Panteón, aula interna

El Panteón, reconstrucción de la fachada exterior

M·AGRIPPA·L·F·COS·TERTIVM·FECIT

LARGO ARGENTINA

El complejo arqueológico conocido como "área sagrada" de Largo Argentina fue descubierto casualmente en el verano de 1926 durante unas obras que se realizaron en el barrio.

Las zonas del Campo de Marte sur donde se levantan los edificios, queda delimitada al norte por el *Hecatostylum*, (el pórtico de las cien columnas); al sur por otros edificios anexos al Circo Flaminio; al oeste por los pórticos y el teatro de Pompeyo y al este por una gran plaza porticada (la *Porticus Minucia Frumentaria*).

En el área sagrada surgen cuatro templos de edad republicana, a los que se les suele indicar con las primeras cuatro letras del alfabeto. Los edificios presentan diferentes fases cronológicas correspondientes a las transformaciones que se hicieron a lo largo del tiempo. Se aprecian tres niveles: el originario, al que pertenecen los templos más antiguos; le sigue un suelo de tufo perteneciente al último período de la república y otro de travertino de edad imperial.

De todo el conjunto cultural el más antiguo es el **Templo C** que, según la técnica de construcción y basándose en los fragmentos de la decoración arquitectónica, ha sido fechado a comienzos del siglo III a.C. El **Templo A** se levanta en el lado norte del área y también su primera fase puede datar del siglo III a.C., aunque a lo largo del tiempo sufrió unas transformaciones radicales.

Su aspecto actual se remonta probablemente al período de Pompeyo, en torno a la mitad del siglo I a.C.: es un templo períptero, con columnas de tufo y capiteles de travertino, aunque las columnas de este último material ahora visibles pertenecen a una restauración posterior.

También el **Templo D**, el más grande, que se levanta en el lado sur del área, actualmente se presenta como una reconstrucción, toda ella en travertino, que podría datarse del último período de la república, mientras que la fase más antigua pertenece casi seguramente a los comienzos del siglo II a.C.

Área sagrada de Largo Argentina: reconstrucción de los templos A y B

DI MELPOMENE
DI TERSICORE

El último en orden de tiempo es el **Templo B**, un edificio circular que surge sobre un podium, con escalinata en la parte frontal, columnas corintias de tufo y bases y capiteles de travertino.

Algunas partes pertenecientes a la estatua de culto, una divinidad femenina colosal realizada en mármol griego, fueron halladas cerca del edificio: se trata de un acrolito y las partes vestidas debían ser de metal (hoy se encuentra en los Museos Capitolinos).

Es muy probable que el Templo B se pueda identificar con la *Aedes Fortunae Huiusce Diei* (la "Fortuna del día presente"), fundada por Quinto Lutacio Catulo, cónsul en el año 101 a.C., junto con Mario, para conmemorar la derrota de los Cimbrios en la batalla de Vercelli. Por lo que se refiere al Templo C parece probable la atribución a Feronia, divinidad itálica que ya en época antigua tenía un templo en el Campo de Marte.

El templo que más dificultades presenta a la hora de establecer en honor a qué divinidad fue construido, es el Templo A, que, según un pasaje de Ovidio, puede que estuviera dedicado a Juturna, divinidad de las aguas, especialmente de los manantiales. El templo debía constituir el centro religioso de la Oficina de las aguas (la *Statio aquarum*) de Roma.

Estatua colosal de divinidad femenina procedente del templo B (Roma, Museos Capitolinos)

LA BASÍLICA DE SAN PEDRO

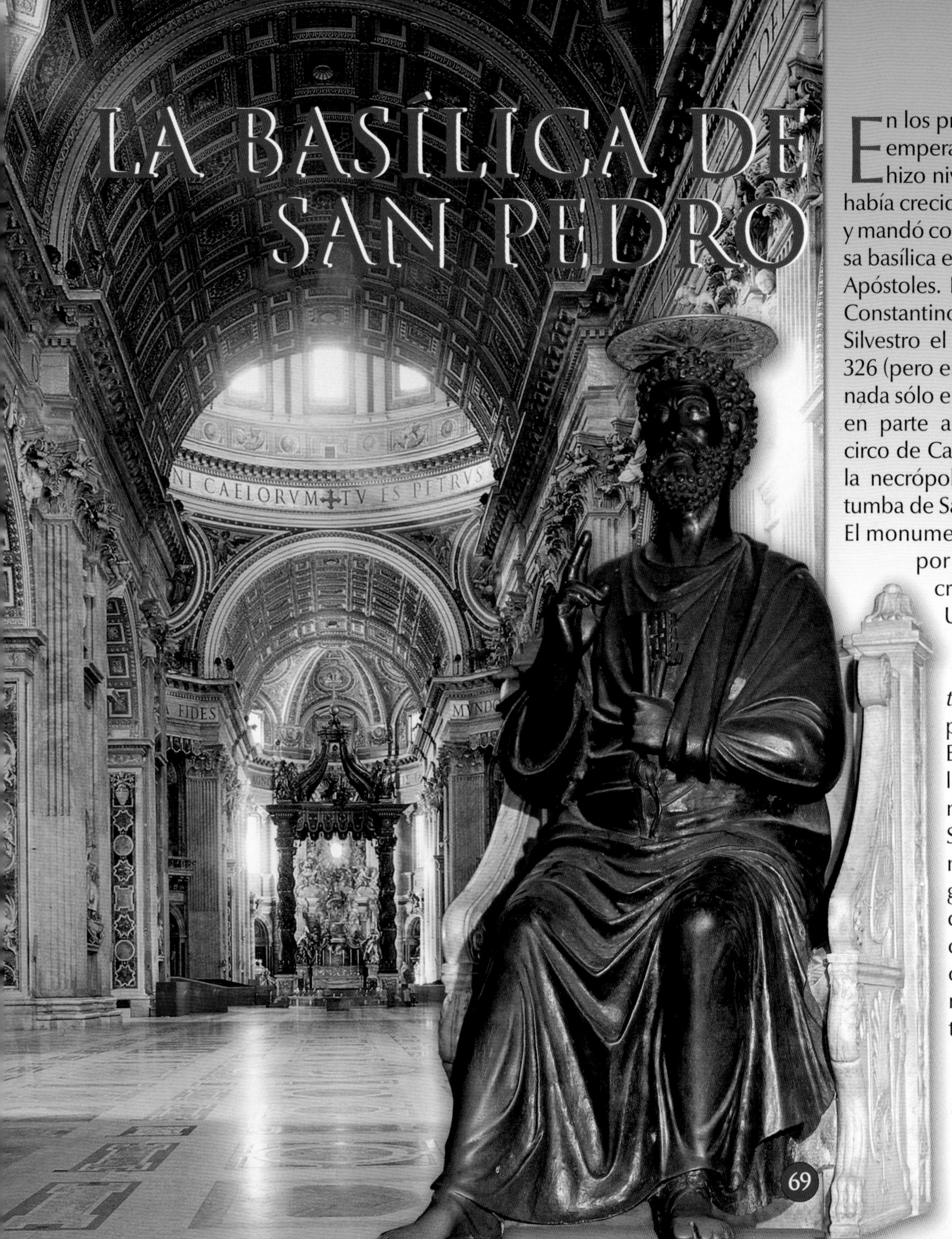

En los primeros años del siglo IV, el emperador Constantino (306-337) hizo nivelar la ladera sobre la que había crecido la necrópolis, la recubrió y mandó construir encima una grandiosa basílica en honor del Príncipe de los Apóstoles. La gran iglesia querida por Constantino y consagrada por papa Silvestro el 18 de noviembre del año 326 (pero empezada en el 324 y terminada sólo en el año 349), se superpuso en parte al sector septentrional del circo de Calígula y Nerón, en parte en la necrópolis, conservando intacta la tumba de San Pedro.

El monumento, que medía 85 metros por 64, tenía cinco naves con crucero y ábside.

Un vasto atrio con pórtico cuadrangular en cuyo centro había una fuente *(cantharus)* para las abluciones, precedía la fachada.

En el cruce del crucero con la nave principal, exactamente sobre la tumba de San Pedro, Constantino y su madre Helena hicieron erigir un monumento espléndido por su sencillez: una caja marmórea decorada con una cruz de oro y coronada por una *pergula* sostenida por seis columnas salomónicas que todavía se conservan. Traídas de Grecia, las columnas, que fueron reutilizadas por Bernini en la actual basílica como ornamento en las "logge" de las cuatro enormes pilastras que sostienen la cúpula, están decoradas por pámpanos que envolven las espirales. Del centro de la *pergula* debía pender una corona real que además de ser un ornamento servía para colgar de ella las lámparas que iluminaban las celebraciones.

Debajo de la corona se debía colocar un altar móvil cuando se celebraba la misa. Sólo con Gregorio Magno (592-604) fue colocado en la basílica un altar fijo por encima de la memoria marmórea de Constantino que fue encerrada en un corredor (*cripta*) semianular.

El altar de Gregorio Magno fue después englobado por el de Calixto II y el de Clemente VIII. Hay que recordar que en la Navidad del año 800, en esta basílica, Carlomagno fue coronado por el papa León III. Durante la Alta Edad Media, surgieron progresivamente en los alrededores estructuras que prestaban ayuda y asistencia a la multitud de peregrinos procedentes de todo el mundo que acudían en masa para venerar la tumba del Apóstol y las de los demás mártires romanos.

En el año 846, la basílica fue saqueada por los sarracenos.

Estatua de bronce de San Pedro

A consecuencia de este hecho desastroso, el papa León IV (847-855) levantó una muralla defensiva en torno al barrio interior que circundaba la iglesia, hasta ese momento excluido de las murallas Aurelianas por estar situado al otro lado del río, y creó así una ciudadela fortificada: la *Civitas Leoniana.* Durante el siglo XIII, el conjunto acentuó su doble función de ciudadela y de residencia del obispo de Roma, alternativa a Letrán.
Se añadieron salas (entre las cuales, la Capilla Palatina, donde surgirá después la Sixtina), claustros y jardines y se pusieron en comunicación el palacio y Castel S.Angelo mediante el llamado "Pasito", un corredor cubierto levantado sobre los muros leoninos.
Varias veces restaurada y ampliada, a los mil años aproximadamente de su construcción, por amenazar ruinas, el Papa Nicolás V le encargó la restauración a Bernardo Rossellino. Pero al morir del Papa en 1455 fueron interrumpidas las obras.
En el año 1506 el Papa Julio II le encargó la restauración total a Bramante que proyectó su reedificación "erigiendo el Panteón sobre la Basílica de Constantino".
El 18 de abril de 1506, Bramante puso en marcha la reconstrucción de la basílica que sacrificaría completamente el edificio construido por orden de Constantino, en ese momento ya en pésimas condiciones, y la construcción de los Palacios Vaticanos.
Las obras del edificio, nuevo e inmenso, duraron más de cien años pasando por arrepentimientos, titubeos, cambios de proyecto, modificaciones, ampliaciones, llevados a cabo bajo la guía de arquitectos famosos tales como, después de Bramante, Rafael, Julián de Sangallo, Baltasar Peruzzi, Antonio de Sangallo el joven, Miguel Ángel, Vignola, Giacomo della Porta, Domenico Fontana, Carlos Maderno y Bernini.
El proyecto definitivo fue el de Miguel Ángel: la nueva iglesia debía ser de cruz griega a cinco naves, más grande que el antiguo templo pero más pequeña y grácil que la proyectada por Bramante, y debía tener su eje central en la cúpula que cubriría el sepulcro de San Pedro.
Durante el primer cuarto del siglo XVII, las obras quedaron básicamente completadas modificando

Capilla Sixtina, pared del Juicio Universal: Cristo Juez

San Pedro, reconstrucción de la fachada de la basílica de Constantino (siglo IV d.C.)

IN·HONOREM·PRINCIPIS·APOST·PAVLVS·V·BVRGHESIVS·ROMANVS·PONT·MAX·AN·MDCXII·PONT·VII

ulteriormente los proyectos iniciales: la cúpula se abovedó, el obelisco que se encontraba en el centro de la espina del circo de Calígula se trasladó al lugar que ocupa actualmente y, sobre todo, Pablo V (1605-1621) volvió a la idea de una basílica de cruz latina. Maderno, que erigió la fachada concluida en 1614, prolongó, por tanto, el edificio añadiendo tres capillas a cada lado hasta que llegó a alcanzar sus actuales dimensiones.

El resultado fué el soberbio templo, el mayor de la cristiandad, consagrado por el Papa Urbano VIII el 18 de noviembre 1626, miltrescientos años después de su primera consagración. En el centro de la basílica, debajo de la estupenda cúpula de Miguel Ángel que se eleva a cientotreinta y dos metros, una de las construcciones más admirables de todos los tiempos, se halla el altar Papal, asomándose a la Confesión, que viene a ser como el corazón y el fulcro de la basílica misma y de la Roma cristiana, puesto que está levantado precisamente en el lugar en donde se halla la sepultura de San Pedro. La decoración del interior, de estilo barroco, es obra de Bernini.

Debemos a Alejandro VII (1655-1667) la realización de la gran plaza rodeada de pórticos que, con sus dos brazos semicirculares, constituía en su origen una prolongación hacía la basílica del barrio viejo y nuevo, posteriormente destruidos a causa de la construcción de Vía de la Conciliación, y se proponía ideológicamente como el último de los Foros imperiales, el "Foro cristiano". El interior de la basílica de San Pedro es de dimensiones grandiosas y rebosa de obras de arte. Entre éstas señalamos sólo el baldaquino de bronce sobre el altar, obra de Bernini, con columnas salomónicas que repiten las del ciborio del siglo VI; la cátedra de San Pedro, también obra de Bernini, de bronce dorado, que custodia la antigua cátedra papal - de madera, revestida con decoraciones de marfil-; algunos monumentos funerarios de pontífices; la estatua de bronce de San Pedro, considerada una obra del siglo V, aunque en realidad data del XIII, que es objeto de la veneración cotidiana de los fieles tanto que tiene los pies desgastados por los besos de los fieles; la Piedad, célebre grupo marmóreo esculpido por Miguel Ángel en 1498-99 a los veintitrés años, la única obra firmada por el artista.

En el suelo, a lo largo de la línea axial de la nave principal, a partir del ábside, están señaladas además, si bien con algún que otro error, las longitudes de las mayores iglesias del mundo.

Bajo la nave principal de la basílica, además, se abren las Sagradas Grutas Vaticanas, que contienen las tumbas de numerosos pontífices y soberanos, numerosos sarcófagos paleocristianos y diversas decoraciones arquitectónicas precedentes de la construcción constantiniana.

Sagradas Grutas, la Capilla Clementina

La Piedad de Miguel Ángel, detalle del rostro de la Virgen